大是文化

股市蟻神的機智投資生活

我這樣選股，從小白滾出 2 億身家。
給想進場、卻不知怎麼開始的超新手入門。

第一次買股票就順手

나의 첫 투자 수업 1 마인드편

U0021115

韓國人尊稱「超級螞蟻」的神級散戶
金政煥 ——— 著

11 歲就開始學投資的超級螞蟻之女
金利晏 ——— 著

林倫伃 ——— 譯

CONTENTS

第三章 進場前，你一定要知道的基礎概念

推薦序

致富第一步，
蟻神教你「存股不疑，疑股不存」

「A 大的理財心得分享」版主／ameryu

　　你為什麼想得到財務自由？對我而言，追求財務自由，是為了隨心所欲的使用時間，而作者說，他運用價值投資得到 3 個自由：財務自由、時間自由、關係自由。此部分非常有趣，他列舉的自由，原來不僅限於金錢。

　　英國哲學家伯特蘭・羅素（Bertrand Russell）說：「當你可以開始拒絕你不想做的事情時，這就是自由的開始。」

　　這句話非常適合用來解讀何謂關係自由，舉例來說，不想參加的聚會，就可以直接拒絕，想怎麼使用自己的時間都可以。

　　那麼，該怎麼做才能獲得這 3 個自由？最好的方法，就是以正確的方式「存錢」，這邊說的存錢，可不是在銀行儲蓄，因為如果只是放著，沒辦法抵抗通貨膨脹。而抗通膨最好的方法，就是「存股」，不過，我覺得這個方法還要加上幾個字，變成「存錢買股、長期持有」。

　　其實，這就是價值投資的觀念，也是本書作者的致富關鍵。但是，有不少人誤以為價值投資就是抱著不賣，其實並非如此，而是趁股價比估值還便宜時低價買進，然後抱緊處理，等股價大

幅超出自己的估值時再賣出。

買得便宜，才能降低不安；低價購買，才能讓時間和努力的回報最大化，但是要怎麼選股？我的原則是：「存股不疑，疑股不存。」要謹記，價值投資和長期投資不同，買下好股票（績優股），然後在股價超過其價值時賣出，這才是價值投資的核心。

選股時，作者也強調，你必須能自行評估該股價是貴還是便宜，而要評估股價，就必須計算估值。他認為，每個投資人必須有一套自己的買賣原則和投資哲學，雖然這套邏輯不可能完美，但是你仍得一邊學習，一邊建立自己的原則。只要能夠堅守原則、不被動搖，最終，你就能成為不賠錢的投資人。

書中還提到，做股票的人要「有想法」，不能期待有誰會為我們寫出正確答案，你要自己講得出理由。擁有率先找出優良企業的能力，才有辦法早別人一步用低價買進績優股。

另外，你可以把成功者的經驗拿來參考及模仿，但一定要親自打造專屬於自己的成功方式，以免畫虎不成反類犬，畢竟，我們不知道該位成功人士的致富法，是否還適用於現在的自己。

本書還有一大特色，就是有作者和女兒的對話，我認為這是很好的參考資料，可以讓父母輔助兒童建立正確的投資心態。

內文中特別提到，富人和窮人最大的差別在於心態，也就是「我做得到」和「我做不到」的差異，而不管是幾歲的股市小白，都可以從零開始建立心態。

一個正確的想法，就能促成行動；只要開始行動，就能讓你獲利。最終決定財運的絕對不是生辰八字與運氣，而是你的積極作為，與想努力改變現狀的心。

前言
你想明天賺 5%，
還是一年後賺 100%？

聽到「股票投資」一詞時，你腦袋裡會先浮現什麼？

腦中可能會出現兩種情境——走好運賺大錢，或是賠到窮困潦倒，投資就像一把雙面刃，有人很賺、有人慘賠。

所以，如果是靠股票賺到錢的人，就會勸你趕快去開戶，這些人還會很具體的說：「我買了△△公司的股票，在一年內就賺到○○元。」但事實上，只有極少數人說自己賺到錢；放眼四周，多數人都說自己賠錢。

到底該聽誰的話？在此之前，更重要的問題是：「究竟什麼是股票投資？」這本書完整收錄了關於這個問題的答案。

大家都稱我為「超級螞蟻」，我把全租房（按：租客先付一大筆押金給房東，契約到期時會再歸還給租客）的押金 7,000 萬韓元（按：全書韓元兌新臺幣之匯率，皆以臺灣銀行在 2022 年 2 月公告之均價 0.021 元為準，約新臺幣 147 萬元）當成本金，投資至今，已經成為管理數百億韓元的大戶，讓 7,000 萬韓元變成 100 億韓元，僅花了我 5 年的時間。

我將在這本書中，訴說十多年來我在股市上的所有領悟。操作手法與投資心法，很容易讓新手錯亂，這是因為大多數新手買股票，都只是為了在明天得到 5% 的報酬，而不是為了在一年後

獲得 100%、200% 的收益。

想在股市賺錢，你必須比別人更執著、更有毅力，也要能夠率先找出優良企業。換句話說，就是投資人的手腳要快，還必須不斷累積股數，持續追蹤、耐心等待。只要做得到以上幾點，任何人都能靠股票獲得財務自由。

我剛進入股市時，每天下班回到家就分析股票、研究財報到半夜。那時的我非常迫切，因為我很想獲得自由，只不過，那時的我壓根兒沒想到現在竟會如此成功。不過，我之所以成功，不是因為我特別厲害，而是源自日復一日的經驗累積。

我女兒從 2018 年，也就是她 11 歲時，開始學習基礎金融知識，然後從 2019 年夏天開始對股票產生興趣。我們全家人出國旅行時，她看到我在一旁用電腦交易的模樣，使她對投資產生興趣。

父母就是子女的鏡子，你想為孩子展現出什麼樣的面貌？比起只對子女強調國、英、數的重要性，我更希望大家都能夠讓孩子從小就開始學習理財，如此一來，他們的人生就會不同。

想要脫離投資小白的稱號，讓聰明又有才華的孩子們，能夠抬頭挺胸的活躍於世界舞臺上，股票投資便是通往那個目標的道路。不要猶豫，現在就投身股市，過上幸福的生活吧！

第一章

蟻神的機智投資心法，
進場前必讀

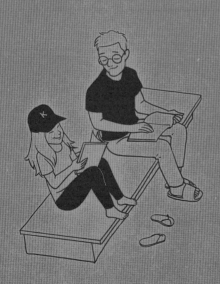

1 | 理財跟運動一樣，先學會怎麼不受傷

我們為什麼要懂得理財？從小就會理財，對人生會有什麼
影響？

人要向前走，不要一直坐在某個地方，幸福會跟隨著向
前走的人，而停下來的人，則會丟失幸福。

——美國思想家
拉爾夫·沃爾多·愛默生（Ralph Waldo Emerson）

首先，我要在此公開很久以前寫給我女兒金利晏的信，當時
她 13 歲。雖然這是父女間的私信，但我認為，這封信能夠反映
許多父母的心情，而且搞不好你就是其中之一。

希望各位讀了這本書以後，也能試著寫一封關於投資的信給
你的孩子。

寫給女兒的投資信

股票就好比人生，生活並不容易，投資也不是一件簡單的事。儘管這麼說，股票交易還是比較簡單，而這是因為其中有一個祕密。

你是全校最會騎電動滑板車的，對吧？那是因為你很努力的騎，都沒有偷懶。一開始，我讓你騎三輪滑板車，這是為了不讓你受傷。

當然，我們也可以一開始就買兩輪滑板車，但是，新手騎兩輪滑板車比較危險。後來，你用安全的三輪滑板車稱霸了全校，這時，你的朋友們才開始買三輪滑板車。

這就是所謂的基礎，投資也一樣，很多人都從不適合自己的兩輪滑板車開始，然後不斷受傷，之後因為害怕就輕言放棄。**剛開始學習時，不讓自己受傷，比速度更重要。**

在股市裡，有90%的人不會騎滑板車，有9%的人，從一開始就騎兩輪滑板車，還有像你一樣，從三輪開始安全出發，之後再轉換到兩輪的那剩餘的1%。而股票市場的贏家，就是那1%的人。這點，你要確實銘記。

不要感到焦慮，也不要勉強，要隨時做好準備，並記得你練習騎電動滑板車的那些瞬間。

在寫投資信的時候，不能使用困難的單字或術語，配合兒女的年紀和理解程度，簡單書寫即可。

不要強迫他們學習金融知識，把重點放在身為父母親，希望子女未來發展順利的鼓勵，然後，父母必須以身作則，表現出信裡期許的那一面。

希望你們能夠向子女證明，活到老學到老，即便年紀漸長，不斷學習和努力的人還是能夠成功並實現夢想。

 股市蟻神的重點課

想投資股票，有一個正當的職業很重要，必須有穩定的收入基礎，才能投資並收穫幸福，要持續學習，才能創造報酬。

Q&A　問問看，答答看！

Q：你認為怎樣算是學習金融知識？

Q：學校的學業和金融知識有什麼不同？

Q：要怎麼做才能累積真正的實力？

2 | 買股不只能賺錢，還能賺到三種自由

> 用股票賺錢是什麼意思？如果能靠股票賺錢，為什麼不買的人比買的人還多？
>
> 在資本主義的時代，人類雖發展了幾項知識性方法，但感情和心理的城牆依然很高。
>
> ——股神華倫・巴菲特（Warren Buffett）

　　對現代人來說，股票投資是一堂必修課，因為它能喚醒人們對經濟的敏銳度，在消費、生活、事業、常識、人際關係、未來規畫等方面，都有著很大的影響力。

　　買股票不是投機，而是所有投資方法中，最有效且最快的一項。買到對的企業，你就成為了好公司的股東，那間公司經營得順利，你的生活也會變好。

　　如果問不投資的人，他們為什麼不試試看，他們的理由肯定超過 10 個，概括起來，能歸類成兩大理由。第一個是：「我沒有錢。」

第二個是：「我身邊沒有人真的靠股票賺大錢，大家都賠得好慘。」

沒錯，因為沒有錢、而且只看到賠光本金的人，所以大部分人不會產生想投資的念頭。除此之外，還有因為不知道方法、缺乏勇氣、沒時間、不用投資就賺很多錢了、打從一開始就沒興趣等五花八門的理由。

接著，若再問這些人：「你想和家人幸福的住在寬敞明亮的房子或公寓大廈，不受金錢所苦嗎？」在 100 個人當中，有 90 個人會回答「想」。

那麼，再問那 90 個人：「你有錢住在寬敞明亮的公寓嗎？有錢買好車嗎？可以每年帶家人出國旅行至少一次嗎？有辦法培養興趣嗎？有錢幫助有困難的人嗎？付得出學費嗎？」

「沒有。」他們回答。

「想賺那筆錢，最好的方法就是股票投資，想試試看嗎？」

「我是想投資啦……但我沒錢。」

問答不停的在原地打轉，就好比薛西弗斯的神話一樣。在希臘羅馬神話中登場的薛西弗斯，將巨大的石頭從山腳下辛苦的往上推，但巨石卻從山頂滾了下去，薛西弗斯只好下山，再次辛苦的把石頭往上推，但石頭又再度滾落，薛西弗斯永遠反覆著這個永無止境的刑罰。

貧窮，其實也很像是這個刑罰，而現在，我們必須終止那個刑罰，這不僅是為了自己，也是為了自己心愛的家人，而股票投資，就是最棒的辦法。

為什麼要投資股票？

我們必須具備投資的正確心態，才能開始下單，雖然每個人的心態不盡相同，但我會建議投資人都應該掌握以下 10 點原則：

1. 投資就像馬拉松，努力生活變最大動力

投資得花上很長一段時間，這並不是短跑比賽，而是一場馬拉松，短期內分不出勝負，只有撐過那段時間並堅守自己原則的人，才會得到幸福的結局。

你必須保持耐心、慢慢學習才能成功，對我而言，我的動力來源就是我心愛的家人。

2. 拋棄「我做不到」的想法，設定目標

在現代社會中，人有兩種自由，分別是財務自由及時間自由。這兩個自由，讓我能在想工作時工作、想玩樂時玩樂。問題是，必須擁有多少錢，才能得到這兩種自由？這根據你現在所處的位置、能力及追求的目標，而有所不同。

首先，要拋棄「我做不到、我真的很沒財運」這樣錯誤的想法。只要設定好目標，例如：「我要財務自由、每年進帳 1 億韓元。」有一天，你肯定能達成這個夢想。

在賺錢的同時，欲望和目標也會變大，只要配合那個目標，培養自己的能力就可以了，**一旦父母有能力，子女的能力也會成正比擴大**。

另外，人類其實還有一項自由，那就是「關係上的自由」。

獲得財務自由之後，與人建立關係時也會更輕鬆，因為沒有必要勉強自己與不想見的人見面。

3.「賠錢怎麼辦？」

當你說出「我要投資股票」這句話時，假如你未婚，最先反對的肯定是父母，他們只會一邊說「你這樣會變要飯的」，一邊阻止你。

朋友也是，他們會說：「以後不要找我借錢。」如果你已婚，配偶也會極力反對，甚至還有另一半會說出「我要跟你離婚」這種話。

不要因為這些反對聲浪而斷了念頭，要抱持著信心進入股市，只要最後讓他們看到你的成功就好了。如果因為親友的話而動搖，那這輩子肯定什麼都做不了。

4. 股票就是押錢賺錢

簡單來說，股票就是「押錢賺錢」。因此，在傳統儒教文化支配下的社會，理財教育不如其他先進國家來得活躍。古代中國對平民職業的基本分工，叫士農工商，一直到 30 年前，都還有不少人信奉這四個字，所以一般大眾對於靠做生意賺錢，有過不好的觀感。

好在目前這樣的觀念已經消退，但人們還沒有完全改觀，不過如果要進入股市，你一定要拋棄這樣的觀念。

想獲得高報酬，就必須贏得和時間的戰爭，同時還要忠於本業，也就是說，不要衝動的辭職回家選股，因為這樣風險最高。

投資股票的最終目的不是為了賺錢，而是為了要活得更精彩、更幸福。

5. 估算自己的價值

估值（valuation）這個單字，會常常在本書中出現，這是一個很重要的詞彙。

估值是判斷目前企業價值、算出適當股價的評定方法，能用來衡量股價對比企業營收、利潤、資產或現金流等各式各樣的經營指標。

這是一項相當困難的作業，因為每位投資人對價值的定義都不同，所以沒有正確答案，而且時常有偏差；但是，即便如此，我們還是得計算估值。挑選標的時，最重要的就在於投資人是否能自行評估該股價是貴還是便宜，而要評估股價，就必須懂得計算估值。

此外，在正式投入股市之前，必須先對自己進行估值，計畫標的投資組合，然後一邊記錄，一邊檢視。當然，這需要不斷的學習和努力，而這整個過程，其實就是在估算你整個人的價值。

6. 別人等股價上漲，我祈禱股價下跌

選定好標的並買入股票後，就必須抱持著「經營者」的心態，畫出對持有企業的藍圖，也要比誰都更深入研究，確認業績並預測其前景。

不過，也不能陷入妄想之中，因而變得傲慢，我們應該客觀的看待一切，**因為，投資的第一個道德準則就是「謙虛」**。

　　若你有先徹底分析過才買進，那你就會祈禱自己的股票不要馬上上漲，因為你還會想再買入、累積股數，因此，一個好的投資人，就是祈禱股價下跌的投資人。

　　我們必須像這樣，找出值得祈禱下跌的好股票。要謹記，投資的核心很簡單，就是買進好股票，然後在股價高於企業價值時賣出。

7.「為什麼要買這支股票？」你要能答出來

　　你必須確實知道某間公司大概什麼時候會漲，不能在毫無頭緒的情況下投資。

　　投資必須靈活，不管自己分析的企業再怎麼好，若是得不到市場的認同，那就一點用都沒有。

　　在進行評價時，需等待市場的預期及結果，也就是說，不僅要有發掘企業的能力，還必須培養觀察市場的眼光。而要讓眼光變得精準，學習是唯一方法。

8. 把自己當成老闆，一天學習30分鐘

　　投資時，必須具備老闆的心態，想成是自己在經營那間公司，也就是把它當作自己管理的事業之一。

　　只要一天多學習30分鐘就好，更重要的是要每天做功課。我們必須老實的向前跑，不要只想著要抄捷徑，請一步步踏實的奔跑，去感受超越死點（按：跑步時，速度提升對肌肉及心臟造成負擔，突然感到上氣不接下氣的階段）之後，再度活過來的那份感受。

9. 股市本來就不公平，你要布局，讓劣勢變優勢

股市裡有著大量的小道消息，有些情報能夠讓你發橫財，但錯誤資訊也不少。

大部分的時候，這些資訊都是無稽之談，真正重要的投資情報，絕不可能如此輕易的走漏風聲，所以，聽到任何訊息時，都應該告訴自己：「這些東西大家都已經知道了。」

我們必須知道，自己是在情報不對等、不公平的競爭環境中求生存的投資人。想戰勝這個環境，就要持有一檔不受市場雜音左右的好股票，然後堅持下去，隨時降低風險、臨機應變。

我平時很常談到一種投資法，叫做「超級蜘蛛投資法」，蜘蛛為了捕食，會花很多時間織網，散戶們也一樣，若想做好萬全準備，就得先把你的蜘蛛網織得牢固。亞伯拉罕・林肯（Abraham Lincolm）曾說：「如果給我 6 個小時砍一棵樹，我會先花 4 個小時把斧頭磨利。」

獵物被捕時，蜘蛛不會馬上把獵物吃掉，而是先放著，想吃的時候隨時享用。

所以，你不用哀嘆自己手上內線消息太少，把這個時間用來汲取投資知識，自己創造屬於自己的情報就行了。

10. 別想靠分散投資擊敗大盤

當然，法人（按：包含外資〔國外投資機構或基金〕、投信〔國內的證券投資基金〕、自營商〔證券公司自己的投資部門〕等）的資金肯定遠多過一般散戶，其中也有不少聰明的人才，他們獲取企業、市場、全球情報的速度，一定比散戶來得快，所以

他們可以帶動整體市場。

大部分的散戶，都認為自己無法贏過他們，不過，只要努力，我們還是有勝算。投資講究細節，只要比他們更快、更謹慎、更努力、更用心估值，一定可以獲得更高的報酬。用自己的財產投資和拿別人的財產操作不同，拿辛苦血汗錢入場的人，必須更慎重，這樣才能練就贏過法人和外資的好功夫。

另外，在開始投資前，先估算企業價值並定下目標股價，你會更有勝算，所以，**要針對特定股票深入研究，不要分散投資**。除此之外，你也可以多分析法人和外資喜歡的企業，藉此掌握先機、大幅獲利。

到目前為止，我談了 10 個重要的投資原則，當然，投資不是一件容易的事，只要去一趟書店就會發現，談論如何靠股票致富的書籍比比皆是，網路上有多到數不清的成功指南，YouTube 上也滿是各式各樣的成功祕訣。

但是，我們沒有必要什麼都看，倘若覺得某位投資導師不錯，就深入分析其投資方式，跟著他操作看看，照這樣分析幾本書、幾位導師後，這些都會成為你自己的投資經驗，這樣下來，你就能建立屬於自己的交易原則。

而且我們要記住，就算是成功人士給予的祕訣，也不能完全相信，因為各自的取向和市場情況都不同。投資的路，要靠自己摸索出來。

不過，成功投資人還是有一個共同的祕訣，那就是——努力學習、把目光放遠、保持信心。

不管是哪一項，只要跟隨自己的投資心態走下去，你肯定能夠成功致富。

 股市蟻神的重點課

人有三種自由，分別是財務自由、時間自由及關係自由，也就是做我想做的事情的自由、想工作時工作、想玩樂時玩樂的自由，以及不想見的人就不見的自由。為了得到這些自由，最好的方法就是正確的投資股票。

Q&A 問問看，答答看！

Q：不想做該做的事情時，你通常會用什麼藉口？

Q：你認為你有辦法靠股票改變人生嗎？

3 | 本金只是那個零，你願意開始，才是那個一

決定要投資的話，會有很多人阻止你，也會有很多人想勸退你。如果決定要走上自己的投資之路，該怎麼開始？

你在走的那條路，抵達盡頭之後，你會感到滿足；相反的，一開始就感到滿足的人，則無法前進。

——德國詩人弗里德里希·呂克特（Friedrich Rückert）

「比起從 1 變成 1,000，從 0 創造出 1 的過程更為艱辛。」這句話是真理。0 是沒有實體的常數，它不是自然數。大多數投資者的投資實力是 0，卻要將 0 最大化，在只有 0 的實力上，一點一點的增加投資金額。他們心中的算式是這樣：

$$0 + 100 + 100 \cdots\cdots = ?$$

多數投資者期待藉由增加本金，得出龐大的報酬，然而，報酬卻這樣變化：

$$0 \times （100 + 100 + \cdots\cdots） = 0$$

不管投入再多金額，還是會歸零，因此，得先將自己的投資實力提升到 1 以上，因為，就算乘以低於 1 的小數點，你的投資金額還是會減少。雖然投資初期在 0.1 的實力上投入小錢，可能會幸運的獲利，但若是不累積實力，增加的投資金每次都會減少 10%。

相反的，當投資實力超過 1、來到 2，甚至是 10 的時候，投資報酬就會以複利的方式快速增長。

投資也講究基本功，像財務報表、產業、企業、總體經濟、技術分析等，掌握了這些知識，實力超過 1 的時候，就能正式投入資金。

在考試時，靠小抄填入的答案，不會成為自己的實力，即便寫下的答案正確，解題過程也無法內化，所以，我們必須培養自己分析的能力。就算一開始答案是抄來的，之後也務必試著解開那道題，這就叫覆盤（按：圍棋術語；在結束對弈後，將對弈的過程，按落子順序重現，藉此精進棋藝）。

你必須勤加練習並時常自我回顧，專心致志於創造出 1。到處左顧右盼、跟著別人買股票，只會讓雜務變多，無法集中。選擇自己專心關注的股票，並將投資項目濃縮到兩、三項，才能創造出 1 的實力。要先打造出 1，才能變成 2、變成 3。

你現在已經是 1 了嗎？如果你有時間到處觀察、竊取別人的想法的話，就應該把那些想法偷過來，花加倍的時間把想法加工成自己的東西，累積那些經驗後，你就能自己去找標的，並靠反

覆的勝利一點一點的累積功力。

　　這就是投資，你必須打起精神，集中注意力，要是你閉眼，東西就會神不知鬼不覺的被別人拿走。

 股市蟻神的重點課

　　投資也講究基本功，像財報、產業、企業、總體經濟、技術分析等，掌握了這些知識，實力超過 1 的時候，就能正式投入資金。考試時抄來的內容不會成為自己的實力，你必須培養自己分析的能力。

Q&A 問問看，答答看！

Q：決心投資股票，代表著什麼？

Q：在你決定要投資股票後，如果周圍的人說三道四，或是抱持著為你好的心態勸你別投資，你該怎麼回應？

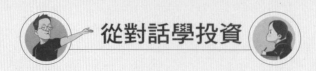

從對話學投資

　　我在 2020 年初，建議我的女兒金利晏閱讀《投資心智》（*Invested*）。

　　這本書的作者是菲爾・湯恩（Phil Town）和丹妮爾・湯恩（Danielle Town），他們是一對父女；此書一出版就登上《紐約時報》（*The New York Times*）暢銷榜。

　　在韓國，這本書的書名是《爸爸和女兒的股票投資課》，副標題則是「向價值型投資人父親，學習巴菲特和查理・蒙格（Charlie Munger，巴菲特的合夥人兼摯友）的投資智慧」。

　　我讓女兒先用她的視角讀這本書，之後我們再討論各種關於此書的話題，這是因為，如果能讓她從小就主動去理解金融知識、獲利的方法，以及投資這件事，等到她長大成人，就能擁有正確的金融觀。

　　另外，對於和子女對話或金融教育而感到苦惱的父母們，也可以參考「從對話學投資」這個單元。雖然這是和女兒的對話，但裡頭提到的觀念，皆有一定水準，能夠幫助剛開始投資的股票新手。

律師、工程師、醫師……
高薪行業就能獲得財務自由？

《投資心智》這本書在說什麼？

是關於爸爸和女兒的投資故事。

你可以簡單說明一下今天讀過的內容嗎？

作者丹妮爾從名校畢業，是一位很有能力的律師，但儘管如此，她的生活還是過得很辛苦，有很多壓力，健康也越來越差，感到非常不幸福。

她有很多壓力啊？你現在 13 歲，丹妮爾已經大學畢業，應該也有二十四、五歲，她為什麼有那麼多壓力呢？

因為她沒有錢也沒有自由，所以對未來感到不安。

原來如此。也就是說，她努力用功讀書、從法學院畢業，原以為現在可以提早財務自由了，但現實是薪水很少又很忙碌、看不到未來又存不了錢，所以壓力很大。這本書就以她和父親討論煩惱的對話開頭，但是書裡不只主角，好像連主角身邊的朋友都有類似的壓力？

嗯，她說朋友們也遇到類似的困難，甚至還有幾位朋友過勞，成了醫院常客，看到朋友都累倒，她覺得自己好像也快不行了。

不是很多人在 13 歲左右就會經歷青春期嗎？你的青春期來了嗎？

我已經過了。

真的嗎？那你有壓力嗎？

數學讓我很有壓力……。

為什麼？因為解題很難嗎？還是因為不想輸給其他人？

數學太難了，所以我壓力很大。

原來是這樣，那為了抒解壓力，作者丹妮爾說，最需要什麼東西？

她說最需要財務自由。

爸爸平常講課的時候，除了財務自由以外，還有提到其他自由，對吧？

對，時間自由和關係自由。

財務自由，說到底就是在講錢，錢真的是世上最重要的東西之一，你覺得自己擁有財務自由嗎？

有。

為什麼？怎麼說？

因為我不用為錢擔心。

這是托誰的福啊？

當然是爸爸。

嗯，那是因為打從你出生以來，我就已經賺到一筆財富了，這不是你努力而來的成果，所以正確來說，那不是你的東西，對吧？

嗯。

你身邊也有很多朋友很有錢，看到他們的消費習慣，你有什麼想法？他們買衣服或其他東西的時候，那些錢不是他們自己賺來的，看到他們花很多爸爸媽媽的錢，你覺得怎麼樣？如果是自己賺的錢，因為很有成就感，所以，為自己的幸福

花點錢沒關係，但如果自己沒賺錢，而是花爸爸或媽媽的錢，那就有點⋯⋯。

你的朋友都穿得很時髦，看到朋友擁有那些東西，你是不是也很想要？

嗯，我買過一次，但只是暫時心情好，沒有覺得特別幸福。

沒錯，我們不買那些東西，不是因為沒有錢，而是不需要。

對。

這就是財務自由，和有沒有購買力是兩回事，我認為財務自由指的就是選擇權，也就是想去旅行的時候就去旅行，想做什麼就能做什麼。不過，作者丹妮爾怎麼樣？

她沒有財務自由。

而且她也沒有時間自由。從法學院畢業後，就在律師事務所上班，工作很繁忙，但是賺的錢卻沒有想像的多。

她一天工作 10 小時，一個星期就是 70 小時。

70 小時？！工作這麼辛苦卻賺不到錢，連時間都沒有，也沒辦法和朋友見面。無論再怎麼有錢，醫生或律師這種專業人士，如果沒有時間自由，就不能算是真正擁有財務自由。所以，我認為我們應該要擁有財務自由和時間自由，才稱得上是真正的自由。還有最後一個，關係自由，你也曾因為某些不想見的人而感到困擾，對吧？

可能要經歷過才知道。

如果你去公司上班，就算是討厭的人，也要一直看到他，這是因為不得不工作的關係，就算你我不想見到對方，還是得繼續和對方見面。但我就很自由，因為我一點生意上的關係

都沒有，如果不想和某個人見面也沒關係。所以說，這 3 個
自由都很重要。你覺得這 3 個之中，哪個最重要？

時間自由。

為什麼？因為想每天玩耍？

不是，是因為要有時間，才能有財務自由；要有時間自由，
也才能從關係中變自由。

很好，隨著時間過去，你再進一步學習之後，這個想法也有
可能會改變。今天和爸爸一起學理財知識，你覺得怎麼樣？

很有趣。

你有沒有什麼想實現的目標或夢想？

還沒有，我現在只想盡情的做所有想做的事情。

好，做自己想做的事，打造出這樣的人生很重要。

爸爸認真生活的模樣看起來很棒，我也會那樣努力生活！

4 | 價值投資，不是要你只抱不賣

投資明明有很多種方式，而且價值投資需要學習大量的知識，還要花很多時間，股神巴菲特為什麼還提倡價值投資？

如果你用優惠的價格購買優質的企業價值，短期的價格變動會是問題嗎？長期看來，這並不會成為什麼問題，因為價值最終將會反映在證券價格上。

——傳奇價值投資人賽斯・卡拉曼（Seth Klarman）

　　投資股票，也有很多不同方法可以應用，其中一個便是價值投資。所謂價值投資，是以信任企業價值為宗旨的交易方式。構成企業價值的因素，有淨資產（按：將賺到的錢減去負債，代表實際擁有的金錢）、成長價值、收益、其他無形價值等。隨著因素不同，投資人也被分為多種類型，有將重點放在淨資產的資產價值投資者，也有側重成長價值的成長價值投資者。

　　價值投資之父班傑明・葛拉漢（Benjamin Graham）發現股票的好壞和公司的價值有關，他看出企業價值會隨著公司賺進的

錢與淨資產浮動。此後，在股市中，價值投資者成為主流，很多人都會以長期投資的心態，買入一家公司的部分股份。

說到價值投資，最關鍵的要素就是安全邊際，安全邊際是公司股價和實際企業價值間的乖離率（按：當日股票收盤價或盤中市價與移動平均線的差距，可分析股價偏離某時期平均價的程度），乖離率越大，安全邊際就越大，價值型投資者會將這個時機點，視為重要的投資機會。

基本上，安全邊際就是用遠低於企業價值的價格購入股票，雖然無法一下子就獲得高報酬，但損失風險極小，而我們可以利用銷售和利潤來求出安全邊際。

簡單來說，價值投資就是選定讓你安心的投資組合（見下頁圖表 1-1），只要企業價值不受毀損，就沒有理由認賠（按：預計未來股價會再下跌，因此甘願承擔損失，將擁有的股票以低於買進的價格賣出），這個方法，可以培養你對投資企業與比重的認識。

在其他人還沒有興趣的時候，率先發現被低估、被忽略的企業，慢慢等待更多投資人跟進，使股價上升。話雖如此，價值投資也不是叫你傻傻等待，你必須看準時機行動，同時也要靈活的調整投資比重。

巴菲特會尋找能抱上 10 年、20 年的企業，但是，他真的只買不賣嗎？就算握有幾檔核心持股，巴菲特也會繼續調整持股比例。企業環境會隨著時代產生變化，新企業出現，被淘汰的企業則消失。為了長期投資優良企業，我們必須不斷觀察、學習和追蹤，有了這樣的努力，你的錢就會像雪球一般越滾越大。

　　基本上，股票可分為價值型、成長型和配息型，價值股為最傳統的股價被低估之企業；成長股為正在快速成長的公司，會將獲利再拿去投資，所以大多不分配股息；配息股則是會穩定配發股息的股票。

　　每個人的原則都不同，而大部分價值投資的概念，皆由學者或教授所創造，在那之後，隨著和巴菲特一樣成功的價值投資者輩出，人們便透過講述實踐方法的書籍和講座學習價值投資。

　　巴菲特的老師葛拉漢是會計學教授，所以他在估值時非常保守，但這種投資方法反而讓巴菲特有被困住的感覺，這時，巴菲特遇到主張成長型價值投資的老師菲利普·費雪（Philip A. Fisher），使他開始選擇成長股。

圖表 1-1　什麼是投資組合？

　　投資組合是在投資股票時，分散投資多個項目，避免把雞蛋放在同一個籃子裡時可能發生的危險，最大限度的擴大投資收益的方法。

　　建立投資組合時，得考慮現金流動性、本金穩定性和收益性。根據股票投資比例，投資組合可分為增長型、均衡型和保守型，請見下圖。

增長型
本金70%↑投資股票
剩餘投資安全的債券

保守型
本金30%↓投資股票
剩餘投資安全的債券

均衡型

巴菲特之所以會使用這種方法，是因為他認為買賣股票時最重要的就是不能賠錢，而這同時也是安全邊際的基礎。雖然我不認為投資人應該輕易改變自己的原則，但我們必須足夠靈活，因為世界一直在改變，尤其是市場在全球經濟中，更是以飛快的速度變化。

價值投資者，必須讀懂潮流、看出璞玉

讓我們來看看國際企業亞馬遜（Amazon）。單純看數字，亞馬遜絕對不是一間可以長期投資的企業，因其本益比（PER，用來判斷股票是便宜或貴的依據，預測買該支股票的回本時間，請見下方算式）高達四十幾倍，4 年前還是赤字。

> 本益比（PER）＝股價／每股盈餘（EPS）
> ＝市值／稅後淨利

被譽為韓國亞馬遜的電商巨頭 Coupang 又如何呢？ 2015年，世界級投資人、日本軟銀集團創辦人孫正義，於 Coupang 投資 10 億美元（按：全書美元兌新臺幣之匯率，皆以臺灣銀行在 2022 年 3 月公告之均價 28.07 元為準，約新臺幣 280 億元）。

實際上，如今 Coupang 受到市場好評，後來憑藉自身對於韓國國內線上流通的高掌控力，於那斯達克上市時，Coupang 被評估為價值 30 兆韓元的企業。

　　從傳統價值投資者的立場來看，這兩間都是虧損企業，因此難免會不看好它們，不過，如果像這樣，只執著於財務數字，那就會被表面所矇騙，因而犯下大錯，錯過真正重要的東西——看不見的數字。

　　根據數據顯示，Coupang 超越了韓國線下既有的流通巨頭emart，市場占有率排名第一。Coupang 將進一步利用於那斯達克上市時引入的資金，革新其物流與配送，鞏固霸主的地位。在現今這個時代，商業模式、壟斷地位、市場占有率等條件的重要性，大幅高於眼前的營業額。

　　傳統概念中的價值投資，是適合工業革命時代的投資概念，在過去「投資 → 創造工作機會 → 創造利潤」的時代中，這是可行的思維。

　　然而，現在處於工業革命高成長的最後階段，全球經濟呈現長期低成長的局面，企業和勞工間的問題逐日惡化，機械和 IT的發達，再也無法發揮創造就業機會的效果，因此，就業遲早會成為社會問題，而傳統產業的商業模式將會衰落。

　　如今，我們要看的是企業背後的成長價值，要是產業崩潰，公司也會突然蒙受虧損。現在，公司無法透過創造就業機會或提高薪資，來帶動消費金額、形成良性循環。

　　那麼，這是否意味著傳統價值投資已經過時了？其實並非如此，傳統價值投資絕對不會死，而是發掘並投資企業這件事情，會變得比以前還要困難。

　　未來的成長型價值投資者，不同於傳統價值投資者，他們必須讀懂潮流、知道哪個產業在成長、發掘將持續成長的產業，並

具備從中挑選出璞玉的眼光。我們把企業當成自己的資產，以這種眼光看待成長中的企業，並不斷的學習。

在忠於本業的同時，也要持有股票，即使數量不多，也能讓你獲得財務自由，你只要有策略的進行資產配置即可，不用急著投資，而應該追蹤、信任並等待。

 股市蟻神的重點課

在人們還沒有興趣的時候，率先發現被低估、被忽略的企業，接著等到更多投資人跟進，使股價上升。話雖如此，價值投資也不是叫你傻傻等待，你必須看準時機行動，同時調整投資比重。

Q&A 問問看，答答看！

Q：「那個人有他自己的價值。」這句話意味著什麼？

Q：「那個企業有它自己的價值。」這句話是什麼意思？

Q：你能夠舉出 2～3 個有價值的企業嗎？提出這幾間企業的理由是什麼？

5 | 小錢怎麼變大錢？ 複利、複利、複利

「用複利提高收入」這句話是什麼意思？如果在股票投資中持續用複利提高收入的話，真的會出現很驚人的結果嗎？

與想要大幅提高報酬的投機心態相比，不讓自己賠錢的風險迴避型戰略確實優秀。即使報酬很少，隨著數年累積下去，複利的效果就越明顯。

——賽斯・卡拉曼

反覆投資報酬率25％的股票40次，結果會如何？那個結果，一定比你的想像還要驚人。假設你的本金是 1,000 萬韓元，投資獲利25％，然後利用賺取複利的方式投資 40 次，就會變成 752 億韓元。

大多數人聽到這個數字，都會抱持懷疑的心態，認為這種事怎麼可能發生，不過，你只要計算看看，就會發現此話不假。

即使投資速度很慢，但你只要成功投資 40 次，就能獲得財務自由。也就是說，股市是一個就算你只有小錢，也擁有致富機

會的市場。

美國的道瓊工業平均指數（按：股票市場指數，是歷史最悠久、最受關注的股票指數之一）在過去 100 年間，大概成長了 1,000 倍，之所以能夠有這般天文數字的上漲，雖然一部分是經濟成長率和物價上升的關係，但最大的理由還是複利。複利的魔法，幫所有人開啟了人生機會的大門。

單利和複利怎麼算？

1. 單利

在一定時期內，只針對本金計算利息的方法，由於這時產生的利息不計入本金，因此該利息不會再產生利息。公式如下：

未來價值＝現在價值 ×〔1 ＋（報酬率 × 期間）〕
＊報酬率是年利率

將 100 萬韓元用年利率 4% 單利計算，儲蓄 3 年的話：

1,000,000 韓元 ×[1 ＋（0.04×3）]
＝ 1,120,000 韓元

也就是說，100 萬韓元在 3 年後的價值是 1,120,000 韓元。

2. 複利

指的是包含本金，利息之上再加上利息的計算方法，其公式如下：

未來價值＝現在價值 ×（1 ＋報酬率）^ 期間

將 100 萬韓元用年利率 4%複利計算，儲蓄 3 年的話：

$$1,000,000 \text{ 韓元} \times （1 + 0.04）^3 = 1,124,864 \text{ 韓元}$$

也就是說，100 萬韓元在 3 年後的價值是 1,124,864 韓元。

假設你有 1,000 萬韓元，用這筆錢創造 25％報酬，然後重複這個過程 40 次的話，最少也會滾出 750 億韓元。將報酬率 25％的 40 支股票做成複利表，再刪除獲利表現較不好的標的，就會越來越接近 750 億韓元。如果你的本金是 1 億韓元，那就會滾成 7,500 億韓元。

或者，你如果從 1,000 萬韓元開始，但每個月都能再從薪水

中投入 100 萬韓元，那麼，獲得同等報酬的時間就會縮短。

不過，在正式開始投資之前，必須先進行企業分析，並研究那些企業，這是散戶們一定得做到的事。

這時，我們應該好好想一想，自己是不是出於焦急和貪欲而投機、有沒有跟風買入暴漲股，因為，一旦出現損失，你就會在一瞬間被打回原形。別忘了，複利既能幫你增加報酬，同樣能使你的損失翻倍。

很少人會具體設定投資目標，不過，如果想致富、獲得財務自由，但卻只抱著縹緲的期望，完全不付出努力，怎能期待哪天幸運之神會眷顧你呢？

為了靠投資股票致富，我們必須預先準備好某些能力，舉例來說，至少要懂得讀財報並計算合理股價，才能評斷是否要投資，以及決定進場的時機。

想利用投資來創造報酬，並非易事，為了在股市存活下來，我們只能夠努力又徹底的鑽研。

另外，你必須設定一個符合自己能力的目標。很多人只看到複利的魔法，卻忽視了其他東西。

「只要遇見報酬 25％的股票 40 次，就能憑藉小錢成為令大家欽羨的有錢人」，在這個複利的魔法裡，隱藏著一個恐怖的事實，那就是你一次都不能失敗，因此，在選定個股時，要抱著必勝的決心。

別忘了，最重要的一點在於不允許任何失敗，所以最重要的不是速度，而應該著重於增加準確度。

股市蟻神的重點課

股市是一個就算你只有小錢，也擁有致富機會的市場。

Q&A 問問看，答答看！

Q：什麼是複利，能說說看嗎？

Q：如果你一定得借錢，對於支付利息這件事你怎麼想？

Q：滾錢會像滾雪球一樣，越滾越大嗎？

6　怎麼從螞蟻變蟻神？
我給女兒的忠告

想要成為超級螞蟻，應該怎麼做？普通的螞蟻散戶和超級螞蟻，有什麼不一樣？

所謂股票分析，是一項幾近無聊、每一個小細節都得顧慮到的困難作業。因此，在進行完整的企業評價與估值時，若沒有累積足夠的訓練，股票反而會成為失敗的捷徑。

——資產經理人拉爾夫・溫格（Ralph Wanger）

我們稱投資股票的個人投資者為螞蟻。除了螞蟻之外，獲得巨大成功的個人投資者則稱為超級螞蟻。

螞蟻在韓語維基系統納木維基中，有這些定義：

● 沒有自己的原則，只會聽消息炒股。

● 找不到買賣時機。

● 要是出現某支股票業績創下了歷史新高的新聞，就會買入，但多數時候業績都已經反映在股價上，等於螞蟻是買

在高點，這也是他們被主力（見下頁圖表 1-2）坑殺的最大原因。

- 不會分批買賣。
- 不知道怎麼建立投資組合。
- 把所有資金都投入一、兩支股票中。
- 總是追高殺低；追高意指在高點買入，結果隔日就下跌，投資人一進場就被套牢，殺低則是在低點賣出。
- 不懂得設停損（按：持有股票時，為了控管風險，先決定賠多少錢要出場，而設定好的停損價位，就是停損點）。
- 就算該檔股票可能會被下市，還是不想賣掉。
- 不懂得如何分析個股、掌握市場狀況。
- 不會分析基本面。
- 不會看財報。
- 如果 K 線圖中的短期移動平均線出現黃金交叉（按：股價持續下跌一陣子後，某天開始反轉上漲，短期線由下往上穿過中期線）就買進。
- 不懂得區分好壞消息為長期或短期。
- 被沒有意義的情報和謠言所迷惑。
- 不知道怎麼分析海外行情，也沒興趣知道。事實上就連國內市場也不太懂。
- 選股沒有原則。
- 只買大型股（按：市值規模最大的 50 檔股票）。
- 頻繁交易浪費手續費。
- 隨便挑選證券商，結果只讓證券商賺飽賺滿。

- 因為想趕快賺回本金，而買入期貨、選擇權、股權連結型商品（Equity Linked Note，一種金融投資工具，由固定收益商品再加上標的資產選擇權所組合）等衍生性商品。
- 完全不怕法人或外資。
- 想在短期內就賺取暴利。
- 追求1個月賺10％報酬、1年賺100％等不切實際的妄想。
- 用信用交易（按：包含融資及融券；融資指證券商對其客戶提供融通資金買進股票的服務，融券指證券商對其客戶提供融通股票賣出的服務）或貸款投資。
- 不做長期投資。
- 誤以為可以逆勢操作。
- 不確認盤中市場狀況。

上面列舉了非常多項缺點，事實上，散戶們肯定還有更多缺點。要是看了這幾點，你完全看不懂是什麼意思的話，反而有希望，因為你可能還沒開始投資，或是還處於菜鳥階段，所以，只要正確的學習，就能成為一名優秀的投資人。

圖表1-2　什麼是主力？

　　主力就是一檔股票背後，足以影響短期股價的人或機構，只是，我們不能因為很難說明股價的動態，就硬是將它歸咎為主力造成的現象。通常，主力多存在於特定產業或概念股，靠短期內股價暴漲獲取利益。

　　但是，如果上面提到的每一點你都明白，而且正在思考自己是否也做過這些事情的話，那就有點危險了，因為改掉壞習慣並不是一件簡單的事。你能夠宣稱「這幾點都和我無關」嗎？

　　相反的，超級螞蟻的定義是：「和普通的螞蟻散戶相比，超級螞蟻的報酬相當優越，是賺取數十到數百億韓元的人。」

　　我認為超級螞蟻的定義，是持有 5% 以上股份的人，以及家喻戶曉、擁有大規模投資金額帳戶的散戶。那些沒有經過公開證明，就自稱為超級螞蟻、利用這個詞來危害他人的不肖分子，都應該從市場退出。

　　實際上，超級螞蟻的投資額本來就比散戶來得高，因此對市場的影響力很大。不想在股市裡成為超級螞蟻的獵物，反而能在股市取勝，各位只需要避免做出上述行為即可，也就是說，你必須有自己的原則、知道如何構建投資組合，以及懂得看財報。總而言之，各位必須努力學習投資。

　　如同前面所述，主力就是一檔股票背後，足以影響短期股價的人或機構，只是，我們不能因為很難說明股價的動態，就硬是將它歸咎為主力造成的現象。通常，主力多存在於特定產業或概念股（按：一種選股方式，相較於績優股必須有良好的營運業績支撐，是以依靠相同話題，將同類型的股票列入選股標的的一種組合），靠短期內股價暴漲獲取利益。

　　當然，主力為了引發短期的暴漲，也可能花了幾年的準備時間，等到他們的動靜被一般投資者發現時，已經是計畫中最後壓軸的火花，此時跟進很容易導致巨大虧損。因此，必須找回理性，好好控制自己的欲望，不要盲目加入連上漲原因都不知道的

買賣行列，這就是守住金錢的方法。尤其，越是新手，就越應該小心，不要掉入魅惑的陷阱之中。

 股市蟻神的重點課

　　不想在股市裡成為超級螞蟻的獵物，你必須有自己的原則、知道如何構建投資組合，並看懂財報。

Q&A 問問看，答答看！

Q：對於投資股票這件事，你有什麼想法？

Q：如果你手上有 3,000 元，有人勸你投資股票，你會想試試嗎？為什麼？

7 我的女兒不上才藝班，她上理財課

未滿 18 歲能投資股票嗎？父母可以幫子女開戶嗎？

所謂錢，必然會從滿懷妄想的賭徒手中流出，流向知道正確概率為何的人那邊。

——拉爾夫・溫格

　　很多父母聽到我說，他們應該教孩子怎麼理財、投資股票時，他們都會一邊搖手，一邊生氣的說：「他們現在這個年紀，就應該用功讀書，為日後求職做準備，投資什麼該死的股票啊！」如果向那樣的父母們說，孩子從國中就應該開始學理財，他們一定無法苟同。

　　世上最富裕的民族是猶太人，這點不用多說，大家都知道，就連美國和歐洲的父母，也會讓子女從小開始學經濟，就算不是有系統的學習，但只要有教導，就能早早幫他們建立起金錢觀。許多世界級大企業的創辦人，都是從小就靠自己的力量賺錢，他們也都具備良好的金融觀念。

在臺灣，怎麼幫孩子開證券戶？

根據孩子年齡不同，開戶方式也有點不一樣，請見以下指示：

1. 7 歲以上、未滿 20 歲

攜帶文件：孩童的身分證（未滿 14 歲可用戶口名簿或戶籍謄本）、第二證件（可用健保卡）、印章；父母雙方的身分證、第二身分證件、印章、1,000 元（部分銀行開戶會用到）。

到場人：欲開戶孩童、父母。如父母其中一方無法到場，須備妥另一方的授權同意書，可以向證券商索取檔案，先列印簽章。

2. 未滿 7 歲

攜帶文件：孩童的戶口名簿或戶籍謄本、第二證件、印章；父母雙方的身分證、第二身分證件、印章、1,000 元。

到場人：父母。同上，如其中一方無法到場，須備妥另一方的授權同意書。

另外，幫子女開戶完成之後，若想將持股轉移到孩子名下，依法規定，應依照贈與稅現行法條辦理，請見以下資訊：

開戶完成，可以贈與持股到孩子名下嗎？

以下為財政部公告的 2022 年課稅級距金額：

1. 贈與淨額 2,500 萬元以下者，課徵 10%。

2. 超過 2,500 萬元至 5,000 萬元者，課徵 250 萬元，加超過 2,500 萬元部分之 15%。

3. 超過 5,000 萬元者，課徵 625 萬元，加超過 5,000 萬元部分之 20%。

據財政部稅務入口網，自 2022 年 1 月 1 日起，贈與人贈與稅的免稅額為每年 244 萬元，也就是說，只要每年贈與總額超過 244 萬元，就需要課稅。

若父母都想贈與部分財產給子女，則每年的免稅額度共有 488 萬元，不過，並非父母贈與給每位子女，都能享有 488 萬元的免稅額，而是該年度贈與給所有子女的金額，全部加起來享有免稅額 488 萬元。

即使金額沒有這麼大筆，也可以開始投資，重點在於教導孩子正確的金錢觀及理財技巧。

子女會對靠自己創造財富這件事感到相當自豪，也會因而尊敬父母。

股市蟻神的重點課

如果想讓孩子長大後能提早財務自由，那就必須讓他們從小學開始投資，而且，父母要擺脫「一定要上名門大學」這種舊時代思維。

Q&A 問問看，答答看！

Q：如果能擁有一個屬於自己的存摺，你覺得你心裡會有什麼感覺？

Q：自己賺錢後辦存摺，和用父母給你的錢去辦存摺，感覺有什麼不一樣？

Q：現在開始投資的話，你覺得 10 年後能存到多少錢？

8 | 為什麼買進、為什麼賣出？
你得說出道理

投資股票，真的要像準備大考一樣認真嗎？有些同學就算平常沒念書，也能靠臨時抱佛腳或運氣好得到100分耶……。

上帝會考驗每一個人，對富人用考驗富人的方法，對窮人用考驗窮人的方法。在富人面前，上帝會成為需要幫助的人，向他們伸手求助作為測試；在窮人面前，上帝則會測試他們是否能毫無怨言的順從、戰勝苦痛。

——猶太教經典《塔木德》（*Talmud*）

　　我的生活總是有一套規律，不僅投資，我日復一日的生活中，有著像是運動和洗澡一樣固定的生活習慣。因為我長久以來都一直過著同樣的生活，也有人會問：「這樣不會無聊嗎？」但因為我已經習慣了，因此，我認為股票投資人的生活就應該像這樣。雖然沒有什麼驚喜感，但我的生活還是過得非常開心。

　　對投資人來說，特別的事有很多種。在投資的同時，真的會

看到很多企業，進而學習相關知識。另外，由於每週、甚至每天，都有和那些企業相關的消息釋出，因此我總是一邊預測下週市場會有什麼變化，一邊期待好事發生，每天都在憂喜參半的心情中度過。

要是開始投資，就沒時間感到無聊了，因為你對世上所有資訊都抱持著敏銳度。

「請幸福的花錢。」這是我想給投資新手的一句話，我之所以會誠心提出這個建言，是因為你現在經歷的過程，我也體驗過。我也曾因為有金錢壓力，所以不讓自己花錢，時常為了省錢而虧待自己，因此，這成了我的消費習慣，即使現在我已經擁有財務自由，也很難改變。

隨著我開始經營 YouTube 頻道，和眾多訂閱者們見面、建立起敦厚的情誼之後，我收到了很多禮物，這些禮物當中，也有一些是我平常會嫌太貴、至今不曾吃過的山珍海味，我真的很感謝他們，這是我第一次吃到粉絲親自釣到的超大白帶魚。

因為過去生活非常拮据，我就算賺了錢，還是不敢盡情的吃，出於這個原因，我最近也努力的在自己身上花錢，偶爾買些衣服。

當然，我不會把錢省到孩子身上，我期望小孩和我不同，能夠過得更幸福、更富足。

投資人的生活很辛苦，這是一條沒有休憩的旅程，因為投資人必須日復一日的學習，不能放過任何知識。透過那樣的努力，才能一步一步的邁向財務自由，因此，投資時才應該像準備大考一樣認真。

從小到大，我們經歷過無數個學校考試和入學考試，也考過各種證照和語言檢定。老實說，學習的理由，不就是為了要考得更好嗎？

投資也不例外，平時就需要學習，而且這個學習有階段性，大家都是先上完小學，才升到國中、再到高中，學習投資也該從基礎開始，一步步慢慢累積，才能交出好成績，得到滿意的結果。如果平時不學習，在沒有累積實力的狀態下考學測，能考得好嗎？股票投資也是相同的道理。

知道「為什麼」，就能過上機智的投資生活

從 2020 年開始，多了很多急著入場的股票新手，他們剛開始學投資幾個月，就已經在解高難度的試題，要是認為這樣就能在考試中取得好成績，可是大錯特錯。你可能會猜對幾題，但偶然就只是偶然，不會是實力。

如同不會因式分解，就無法解微積分一樣，連基本面分析都不懂，在無法掌握公司財報的狀態下投資，肯定不會出現令人滿意的報酬。

這種新手的熱情雖然值得讚賞，但我們也需要回頭檢視，看看自己是不是連走路都還不會，就想著要跑步。

我在 YouTube 上開講座的理由，是為了幫大家減少時間，就像在準備期末考一樣，我會在 YouTube 定下一個範圍，在那個範疇內進行說明。比方說，我講解了半導體、OLED（有機發光二極體）等概念股之後，會對企業進行分析。

　　這是為了讓各位在短期內集中學習，以獲得好成績，但這只是一時的，遇上學測這種大考，就會如實反映出各自的實力。

　　因此，我們平時就應該不斷累積實力。當然，投資時，如果有老師指點你，肯定有幫助，但如果想長久的存活在市場上，那投資者自身也得成長，培養獨自解題的實力，才會得到報酬；知道該如何解開正確答案，才能在任何情況下都好好應對，打造成自己的解題模式。考試，到頭來還是得自己面對。

　　買在什麼價格、用多少錢賣掉……這不過是一時的報酬罷了，**「為什麼」要用這個價格買進、「為什麼」要用那個價格賣出**，自己說得出理由才最重要。

　　雖然報酬與努力不一定成正比，但是靠自己的努力，你能得到成就感，也會感到很快樂。

　　所以，如果你還在讀股票小學，不用因為解不開高中試題而感到灰心，只要解開小學試題、國中試題，再解開高中試題就可以了。

　　即使看起來速度很慢，但這是朝成功邁進的快車道，因為自己會解題之後，就會在不知不覺之間累積實力，尤其，如果在分析企業之後集中投資的話，就能用複利創造出驚人的報酬。

　　學股票，是為了每一季的考試，我們努力準備，用便宜的價格買進優質股、高價賣出，只要能做到這樣，就代表你這次考得不錯。所以，我們要將買股票和研究企業的過程，當作在為重要的考試做準備。

　　在學生時期，我們大部分都缺乏明確的目標，只是被家庭或學校強迫學習，但是，現在那個時期已經過去了，我們必須為自

己和家人的未來負責。只要學習目標明確，你也能過上帥氣又機智的投資生活！

 股市蟻神的重點課

　　買在什麼價格、用多少錢賣掉⋯⋯這些不過是一時的報酬罷了，「為什麼」要用這個價格買進、「為什麼」要用那個價格賣出，說得出理由最重要。

Q&A　問問看，答答看！

Q：用臨時抱佛腳的方式考出好成績，能說是自己的實力嗎？

Q：怎樣才能增長實力？

Q：用便宜的價格買進某個東西，再用比較貴的價格賣出，這樣就能獲利，那麼，該怎麼做才能讓這套模式持續下去？

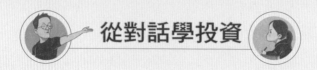

巴菲特、蒙格、卡拉曼⋯⋯學誰的投資方法最好？

今天，我們來聊聊查理・蒙格的 4 個投資原則，你知道他是誰嗎？

巴菲特的朋友。

沒錯，他們是朋友，也是投資夥伴，兩個人都是價值投資大師。我一直以來都是自己投資，但巴菲特身旁，有查理・蒙格這位好友，所以他能得到一些建議，也能在心態管理方面互相幫助，甚至還能互相交換情報。即使巴菲特現在已經超過 90 歲，他仍然很積極的在投資。

我自己一個人孤獨的投資，偶爾也想聽聽其他人的意見，需要做重大決定的時候，我很希望能夠和其他人商量，很可惜的是我沒有那種朋友。所以我希望你趕快長大，成為我的查理・蒙格。

好，我知道了！

我最近在看一部美劇《金融戰爭》（*Billions*），裡面描寫華爾街的對沖基金大亨與聯邦檢察官之間的對立。主角阿克斯（Axelrod）和爸爸很像，而他還有一個綽號為瓦格斯（Wags）的夥伴，只要發生任何問題，這個夥伴都會幫他

擋下來。他還有一位心理諮商師，叫做溫蒂・羅茲（Wendy Rhoades），她能透過諮商穩定人心。但是，我只能自己堅持著，甚至還曾經幫助他人安定內心，這是我覺得最困難的地方。

原來是這樣啊！

你能了解我的心情，我就很感謝了。現在我們來談談查理・蒙格的投資原則吧？首先，我們不能不談到護城河（見下頁圖表 1-3）。比起用查理・蒙格的方式選擇投資企業，我選擇的標準，是把他的投資方式再發展成屬於我自己的方法，也就是說，**我很重視基本面，會去看企業是否在成長、財報是否穩定、企業在做的事業（商業模式）是否能持續賺錢**，除此之外，我還會看那間公司目前在做的事業，是否能從政府的政策中受益。

原來如此！

例如，韓國政府大力推動數位新政（按：推動數位創新和相關技術，包括 AI 和大數據）、人本新政（按：旨在解決年輕人相關問題，例如為年輕人的資產、居住、教育費等提供支援，以及解決教育及育兒上的落差）等政策，那麼，我就要確認我投資的企業是否有受惠，因為政府推動政策，就表示他們要投資那個產業，並放寬其限定和限制。

原來是這樣！

再來，我認為技術性護城河很重要，要看這個企業具備的護城河有多強大，像是企業在開發研究上投資了多少錢來累積技術經驗，還有那個技術是否被廣泛應用在下游產業、具備

哪些相關的專利、和主要領頭企業間有什麼關係等，這些都要仔細理解。

哇～都是我們讀的這本書裡出現的內容耶，你和作者的想法一樣呢！

這是當然！接下來，要看這些企業持有多少間會賺錢的子公司，還有，我們必須確認企業的執行長是不是一位實在的人，這非常重要，因為有些執行長能搞垮公司，也有些執行長能拯救公司。還有，另一個關鍵是要觀察這個事業的成長力道。

另外，我認為必須重視事業本身是否有魅力、市場占有率為多少等資訊。我喜歡市場占有率很高的企業，例如，在行動支付市場裡，Settle Bank 這間公司幾乎占據了整個韓國市場；在商用冷氣市場中，Autech 公司的覆蓋率也很高。我喜歡這種企業，這本書裡不也講到了鐵道產業嗎？也就是關於壟斷企業的內容。你知道什麼是壟斷企業嗎？

圖表 1-3　護城河＝別人無法超越的優勢

　　平常講到護城河，是指為了阻擋敵人入侵，而在城堡周圍挖的河流。查理・蒙格曾說：「忘記你過去用很好的價格買進普通企業，而應該用普通的價格買進很好的企業。」

　　若將此概念套用在企業上，則有很多種護城河，舉例來說，某公司擁有比競爭公司更優良的技術，能用更便宜的價格供給同一項商品，那就是這間公司的護城河。除此之外，護城河也可能源自品牌、專利、地點、特有資產等條件。

壟斷？

對，也叫做獨占，代表在那個產業裡，任何人都進不來。舉例來說，韓國鐵道產業有三巨頭：現代樂鐵、DAWONSYS和宇進產電，除了這 3 間公司以外，其他公司都打不進這個產業，這樣可以理解嗎？

嗯。

我們要投資的就是那種企業，它們的護城河，就是讓其他人進不來，具有壟斷性的地位。

知道了！

要像這樣精挑細選、深度研究，鑽研企業未來的變化、執行長是誰、品牌是什麼、正在開發哪些新業務等。另外，還要仔細觀察他們擁有哪些未來產業，像是無人機、UAM（Urban Air Mobility，都市型航空交通系統）、AR（擴增實境）、VR（虛擬實境）等。

我的策略就是，去追蹤哪些技術會在未來的市場中稱霸，然後投資那些技術。其中一個是無人機保全系統，只要有無人機，就算家裡沒人也能幫忙看家，這種系統以後一定會變得更普及。你平常也可以做一些天馬行空的想像，日後這些想像就能和事業連結起來。

哦？想像力會成為一項事業？

是啊，不斷擴大想像力是一件很棒的事情。選股時，想像力也非常重要，分析企業具備的技術能力、專利和各種競爭力，只要能想像出日後這個企業，根據政策或未來市場變化可以描繪出的未來，在投資時就有很大的幫助。以前三星電

子說要做半導體的時候，大部分的人都看衰，但當時如果有投資三星電子，現在可是能得到數百倍的報酬。

真的嗎？好驚人的故事。

對，所以說，在投資領域，想像力也很重要，不能光憑現在的眼光做出草率的判斷。光靠一個三星電子，眾多相關上游產業都會持續成長。

原來如此。

總的來說，最重要的就是我們知道的有多少，因為懂越多就能看得越細。

我懂了！我也要努力研究，試著預測未來！

很多投資人常因為錯誤心態而錯過好股票。這也就表示，要得到好的結果，心態扮演著至關重要的角色。

第二章

我這樣選股，
從股市小白變散戶導師

1 | 選股要由上而下，先看產業、再看企業

> 認真讀書能得到好成績，認真工作能賺錢，但是認真又勤勞的投資，有用嗎？不是只要選對股票、找到適合的投資時機就好了嗎？
>
> 勤奮是我成功的唯一原因，在我的一生中，連一小塊麵包都沒有好好坐下來吃過。
>
> ——前美國國務卿丹尼爾‧韋伯斯特（Daniel Webster）

投資最重要的就是勤奮，必須事先調查，用比別人便宜的價錢買進好股票，還需要深度分析。想做到這些事情，最好的方法就是學習。

某些人會反問：「股票，不是靠運氣嗎？」不過，如果你覺得靠運氣就能獲利，那你最好不要留在股市裡。

如果某天，一位熟人告訴你一個小道消息：「我從股市專家那邊聽到，他光用股票就賺了 50 億韓元耶！他說，只要買 A 公司的股票就會馬上翻倍，那個人和政府高層確認後，說馬上就會

出現利多消息。」

　　然後，你聽信朋友的話，連 A 公司在做什麼都不清楚就買下股票。用這種方式買股票的人之中，有人致富嗎？其實一個也沒有。

　　再舉個例子，我們常常看到時事節目中提到，某人因為聽信朋友的話，買下 1,000 坪的土地，就因為那個朋友暗示：「那個地方開發之後，價格至少會上漲 5 倍。」

　　該節目的製作人和買地的人，一起拿著地圖到現場勘查，一抵達目的地，買家便張大了嘴巴──那塊 1,000 坪的土地，竟然在高速公路旁邊。

　　路過的農夫還丟下一句話：「這裡車子不分日夜、不斷經過，連果樹都不種。」怎麼會有人，連看都沒看過，就買下一塊地？雖然很令人驚訝，但實際上，這種事很常發生。

　　那股市呢？在股市裡，這種人更是多不勝數，連投資人都稱不上。不管是買房地產、玩股票、開餐廳，還是開發應用程式，只有勤奮的人才能存活下來。

　　容易投資的股票，由於清算價值（按：公司撤銷或解散時，資產經過清算後，每一股份所代表的實際價值）高，即便公司破產，也能拿回本金；反之，不容易投資的股票，則是指該產業對外行人而言難以理解或是變化快速的股票。

　　至於初學者，則應該使用由上而下的選股方式，也就是要觀察哪些產業日後發展最好，選定後就多多認識該產業。

　　學習技術相關知識後，再從中找出有潛力和競爭力的技術，然後列出所有相關公司，深度了解，並透過參訪企業，確認情報

是否正確。

等到選好標的之後，再決定該用什麼方式投入資金。如果是上市公司，通常不會一次買進，而是分批進場。

如果你相信自己持有的公司，那就抱持信心，一邊耐心等待，一邊持續觀察。

買入賣相好的企業

所謂賣相好的企業，包含營收增加、營業利潤增加，以及懂得持續投資的企業。

雖然外表也很重要，但是內在——企業具備的潛力，更是不容忽視的投資要素，所以，我們必須重視一家公司的 RD（研究開發）能力。

隨著時代與環境變化，市場和消費者也不斷改變，請注意企業是否會因應變化為未來做準備。這裡所指的變化，包含政經局勢、下游產業，和顧客對企業的印象等。

根據市場和局勢的變化，也有企業為了加速發展，而將長久以來投資的技術和產品結合起來。

投資人必須提前預測，並觀察哪些公司走在趨勢前端，哪些公司做了很多投資、不斷強化競爭力，又有哪些公司順應顧客需求或政府政策的方向，因而受惠。

不過，雖然尋找便宜股可以讓你搶占先機，但選定的企業也不能太獨樹一格。如果投資的人太少，之後買賣也會很困難，因此，投資人的看法要能夠和市場預期一致。

股市蟻神的重點課

　　我們要尋找賣相好（營收增加、營業利潤增加、懂得持續投資）的公司；企業具備的潛力非常重要，所以選股時，要注意該企業是否會隨時代和環境的變化，為未來做準備。

Q&A 問問看，答答看！

Q：你身邊最勤勞的人是誰？最懶惰的人又是誰？他們兩人的生活如何？

Q：勤勞的人和運氣好的人，他們的人生會有什麼不同？

2 | 我把三星的市場行銷報告，用在股市分析

說起哲學，很多人的第一個想法就是「好難」。投資一定要有自己的哲學嗎？要怎麼建立自己的一套哲學？

除非你仿照其他人的投資方式，不然，任何一套投資哲學都不可能在一個早上……不，是不可能在一、兩年內完善的。最好的投資方法，就是避免再犯同樣的錯誤。

——成長股價值投資策略之父菲利普・費雪

　　想成為投資高手，財務自由和心理安定是不可或缺的條件。如果金錢和心理都有餘裕，投資的勝算就越高。

　　大部分散戶不是拿閒錢，而是動用生活資金來投資，所以很容易無法控制情緒、導致失敗，也就是說，**趕時間的交易，只會讓你賠錢**。

　　還沒建立投資哲學，就將全部財產投進股票中的人，心情當然很難平靜；相反的，若是用適當的現金比重和閒錢來投資，心中自然會更有餘裕。

如果你現在持有的股票，就等同你的全部，或是你賭上的一切希望，那麼，就算價格只是小幅下跌，你都會感到不安、輕易動搖。

正因如此，我們一開始就該養成正確的投資習慣，抱持著從容的心情，就算只是慢慢的從小額開始，也能在最後充分抓住致富機會。

如果一開始就傾家蕩產，把錢都投入股市，那麼如果慘賠，就什麼都沒有了；如果真的想得到財務自由，提升自身實力才是上策，不要只想靠別人報的明牌或小道消息投資，因為這樣無法增長自己的實力。

為了把知識確實內化，需要花適度的時間培養，誰都無法幫你做到這件事。唯有一天一天的打好基礎，才能夠成為優秀的投資人。

股票投資是哲學，而非投機

2020 年 10 月 6 日，在新冠疫情肆虐的情況下，我講述了「市場行銷」在企業活動中所扮演的重要角色，但不僅是解釋何謂行銷，我還想透過以下內容，教你如何樹立自己的投資哲學。

讀研究所時，我研讀市場行銷，在 35 歲之前，一直在三星和 SK 電信的子公司負責這方面的職務。尤其在三星時，我還擔任 IT 策略企劃部部長，直到現在，我都將行銷和投資結合，以此為基礎操作。

我在大學和研究所修習經濟學，也學了市場行銷，我認為，

對人生幫助最大的就是市場行銷。

很多教授都會問學生：「何謂行銷？」究竟什麼是市場行銷？有辦法用一句話來解釋嗎？

不少人在面對這個問題時，會說出無數個單字：品牌建立、命名技巧、定價、促銷、通路……。

聽起來很複雜，但基本上，在行銷策略中，有 4 種很基本的分析方法，接下來我會一一解釋，並教你怎麼套用在自己身上。

1. 用 3C 分析，看出自己是哪種投資人

首先，我們得先分析自己的 3C，也就是 Company（公司）、Customer（顧客）、Competitor（競爭對手），這是第一個調查階段。

在進行 3C 分析之前，不管是企業還是個人，最重要的就是「事業觀」。

我的事業觀會是什麼？我的生活要怎麼過？我會有什麼頭銜？也就是說，最先要知道的就是自己要以何種方式生活。

舉可口可樂公司（The Coca-Cola Company）為例，可口可樂的事業觀是什麼？競爭者是誰？是百事公司（PepsiCo）嗎？還是台爾蒙食品（Del Monte Foods，美國著名食品製造及經銷公司）？

其實，可口可樂的事業觀就只有一個──「水」，也就是要贏過飲用水，讓大眾喝可樂喝得比水還多，所以該公司在進軍全球市場時，也依國家不同，採用非常不同的價格策略。

該企業在收入達 1,000 美元時，便開始大舉進入市場，用非

常便宜的價格販售可口可樂。以前我在中國的時候，看到不少中國人把可口可樂當水喝，因為可樂比水還便宜，這就是所謂的市場滲透策略。

　　就像可口可樂一樣，我們身為投資人，一開始也要創造事業觀，最重要的是要定義自己想成為什麼樣的投資者。你的行銷策略和事業觀，會改變你的人生。

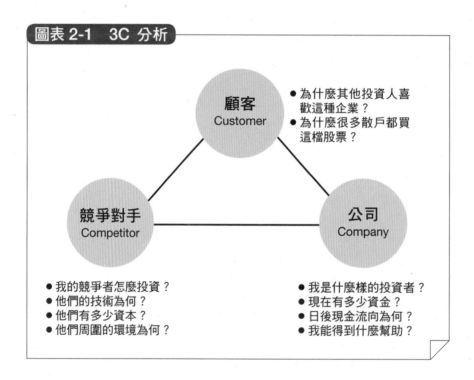

圖表 2-1　3C 分析

顧客
Customer
● 為什麼其他投資人喜歡這種企業？
● 為什麼很多散戶都買這檔股票？

競爭對手
Competitor
● 我的競爭者怎麼投資？
● 他們的技術為何？
● 他們有多少資本？
● 他們周圍的環境為何？

公司
Company
● 我是什麼樣的投資者？
● 現在有多少資金？
● 日後現金流向為何？
● 我能得到什麼幫助？

　　倘若已經創造出事業觀，接下來就要進行分析。在 3C 當中，Company（公司）就是指自己，所以，在開始買賣之前，首要之務就是徹底了解自己。

也就是說，投資人要問自己**我是什麼樣的人？我是什麼樣的企業？我擅長什麼？現在有多少資金、日後現金流向為何？我能得到什麼幫助？**

分析完這些東西之後，再來就是分析競爭對手。我是這樣投資的，和我類似的競爭者們都怎麼投資？那些人比我厲害嗎？那個人有多少資本？那個人周圍的環境如何？這些都會影響市場的滲透策略。

舉例來說，LG 化學的電池市占率為世界第一，但還是繼續在加大投資，那麼我們就應該分析其競爭者三星 SDI 和 SK Innovation（按：以上皆為電池與電子材料製造商）的動向，這是最基本的研究。

3C 當中的 Customer 是顧客，我在製造產品時要想究竟是哪些消費者會購買？為了讓消費者購買，要分析消費者們的喜好、心態如何變化等。

我們在讀分析師的報告或平常在投資時也不例外：為什麼最近投資人喜歡這種企業？為什麼投資人對這種企業這麼熱衷？我們可以對這部分進行判斷。

完成調查階段後，就能大概知道我自己是什麼樣的人、競爭者如何、消費者的喜好或是市場環境等，依照分析深度的不同，日後的策略也會全部跟著改變。

不管做什麼，一開始得先把路鋪平了，才能快速的朝成功邁進。不論是在分析消費者、顧客還是公司，要是不夠徹底，接下來的策略就會出錯。

這也是為什麼，大部分的行銷人員會在分析這個階段時投入

最多經費。

不僅會進行面對面審查，他們還會透過無數次的調查和深度提問來導出數據，之後再用迴歸分析（Regression Analysis，統計學上分析數據的方法，目的在於了解兩個或多個變數間是否相關、相關方向與強度）來調整其特性，光是執行這些步驟，就已所費不貲。

2. 利用 SWOT 分析，斟酌該不該進場

若上述分析都完成了，就必須進行 SWOT 分析，也就是強弱危機分析，包含 Strength（優勢）、Weakness（劣勢）、Opportunity（機會）與 Threat（威脅）。

不少人常在分析機會和威脅的部分犯錯，你必須用優勢和劣勢分析自己，機會和威脅則是用來分析市場的外部因素，但是很多人以自己為基準，來分析機會和威脅，實際上，這兩項代表的是自己無法改變的因素。

分析 SWOT 的理由只有一個，就是決定「要不要投資」。所以，畫出 4 個方形後（見下頁圖表 2-2），你必須找出目前自己的地位，並等待機會，決定是要加強自身的優勢，還是要搶占市場空隙。

舉例來說，投資時最常遇到的煩惱之一就是：「現在本金不足，該怎麼辦？」

應該等籌到一定金額後再進場？還是為了搶占先機先挪用其他帳戶的資金買入？其實在 SWOT 分析完成後，如果認為有機會獲利，就可以入場。

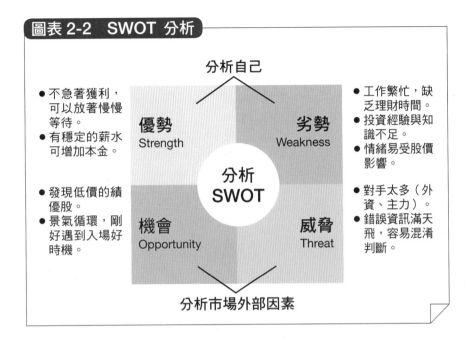

圖表 2-2　SWOT 分析

分析自己

優勢
Strength

- 不急著獲利，可以放著慢慢等待。
- 有穩定的薪水可增加本金。

劣勢
Weakness

- 工作繁忙，缺乏理財時間。
- 投資經驗與知識不足。
- 情緒易受股價影響。

分析 SWOT

機會
Opportunity

- 發現低價的績優股。
- 景氣循環，剛好遇到入場好時機。

威脅
Threat

- 對手太多（外資、主力）。
- 錯誤資訊滿天飛，容易混淆判斷。

分析市場外部因素

3. STP 分析，決定哪種投資最適合自己

分析完自身的優點和劣勢，以及市場的威脅和機會後，就能決定是否執行該買進。若決定要買進，接下來就要擬定策略，此時 STP——Segmentation（市場區隔）、Targeting（目標市場）、Positioning（定位），就能派上用場（見下頁圖表 2-3）。

市場區隔指的是將市場細分，目標市場則如同字面上的意思，代表決定好市場後再進入，而定位指的則是必須確立自己的地位。

STP 分析可以用來區分市場，例如要依年齡層區分，還是依不同地區、收入、性別等，依照區分方式，結果會有所不同。

若把這看成投資，等同在分析是要進入股市、不動產，還是

虛擬貨幣市場。由於已經掌握了自己較有優勢的範疇，接下來只要決定市場即可。

市場中存在著無數個能讓我們獲得財務自由的要素，可能是不動產、比特幣、靠薪水為生，或是發展自我能力，透過升遷讓自己領到更多月薪等，方法有很多種。

不動產有各種限制，昂貴的價格及門檻將人擋在門外，而股市則相對開放。在股市裡，機會更多，所以才有不少人選擇投入股市中。這樣的選擇，就等於 STP 中的目標市場，目標市場讓我們在股市裡做選擇，定位則代表我們在股市中的策略，也就是該如何存活，例如應該要嘗試價值投資還是短期投資。

圖表 2-3 STP 分析

市場區隔 Segmentation	目標市場 Targeting	定位 Positioning
先細分市場，有股票、不動產、虛擬貨幣等多種投資。	依照自己的優勢，選擇進入最適合的市場。	找出最合適的投資方法，如價值投資或做短線。

4. 4P 分析，看出買賣時機

最後，要實行市場行銷的核心戰略 4P：Place（通路）、Promotion（宣傳）、Price（價格）和 Product（產品），在行銷術語中，這代表著分析自己的產品，決定該產品要在哪個地區販售、如何定價、怎麼行銷（見下頁圖表 2-4）。

在股市中，產品其實就是你的投資方法，例如我的就是價值投資。至於價格，則是依照目前的股價，來決定投資多少或持股多久。

至於通路，則和你在哪個市場投資有關，例如美國股市或本國股市。我常說，在美國股市裡有諸多限制，像是無法實地探訪企業，因此我個人是只投資本國市場。

那麼，什麼是宣傳？這裡指的是該怎麼宣傳自己，比如在部落格或 YouTube 努力上傳和投資相關的內容，雖然也可以簡單分享自己投資了哪些標的就好，但分享學到的知識，肯定能帶來更多幫助，也能成為宣傳自己的方式。

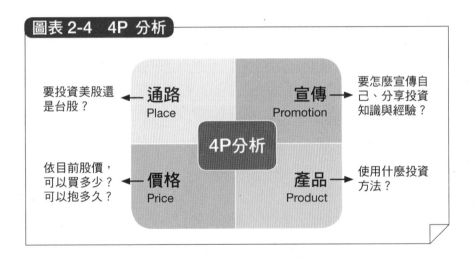

圖表 2-4　4P 分析

要投資美股還是台股？ ← 通路 Place

要怎麼宣傳自己、分享投資知識與經驗？ 宣傳 Promotion →

4P分析

依目前股價，可以買多少？可以抱多久？ ← 價格 Price

使用什麼投資方法？ 產品 Product →

另外，如果還要再加上一項可參考的分析，那就是財務分析。你可以把自己當成公司，寫一份自己的財報，製作未來的願景圖，並記錄目前的現金流向。只要設定資金策略，就能完成一

份具策略性的計畫報告。

怎麼做？你可以先畫出路線圖，寫下自己在股市的計畫，比方說，我這次在牛市（按：又稱多頭市場，代表股市、經濟呈現上漲的局面）可以賺到多少。另外，透過製作財報，你可以知道自己手中有多少錢，並一併計算送孩子上國中、高中、大學，會需要多少錢。

將這些內容，從財報的角度來解答，就叫做財務分析。分析完之後，再一一制定具體計畫，像是我需要多少現金流、股市要獲利多少、不動產什麼時候買、買在什麼地方、買什麼，這樣的策略，就是最後要做的計畫報告。

只要完成這些，你對自己的市場行銷就大功告成了。

 股市蟻神的重點課

市場裡存在著無數個能讓我們得到財務自由的要素，像是不動產和比特幣，也有人只靠薪水和儲蓄。不過，股市裡有更多機會，因為股市是一個開放的市場，就算只用小錢，也能取得成功。

Q&A 問問看，答答看！

Q：你的投資哲學是什麼？

Q：你認為依你目前的狀況，最適合哪種投資方法？

3 買到好公司的股票，比自己創業還好賺

為什麼投資一間公司，就要把自己當成那間公司的老闆？
自己開一間公司，和投資股票不是兩檔事嗎？自己的企
業，只要自己努力經營，就能實現成果，但股票會受到各
種外在因素的影響，不是嗎？

對知識的投資，無論何時都能帶來最佳利潤。

——美國開國元勳
班傑明・富蘭克林（Benjamin Franklin）

　　投資股票，應該要當成是在開自己的公司。為了不太了解價
值投資的讀者，我再簡單做個說明。我們來想像一下，自營業者
在一個小社區裡，無論是要開便利商店、連鎖餐廳或是自己創立
品牌，基本上都需要資本。

　　房租、押金、裝潢費和各種設備等費用，需要預先支出，因
此，在經營一項事業時，必須仔細衡量所有預算後再決定；用股
票來投資企業時也不例外，在投資前先評估影響該公司價格的每
一個因素，這就是價值投資。

　　開創一項事業時，不管是要收購既有事業體還是要創業，如果投入了 10 億韓元的資本額，你想得到百分之幾的利潤呢？

　　假設我們今天要收購價值 10 億韓元的餐廳，餐廳的營收很穩定，也有品牌價值，在沒有投入自身勞動力的狀況下，一年得賺多少錢，你才會考慮投資？是我的話，要是 3 年內能夠回收 10 億韓元，我絕對會投資，然而，通常只要投資額能夠在 10 年內回本，就算很樂觀了。

　　投下 10 億韓元的成本，一年收入 3 億韓元的話，只要過 3 年 3 個月就能回本。

　　不過，因為還要反映通貨膨脹的程度，因此有可能得在 10 億韓元以上賣出。

　　像這樣，我們可以用投資事業的方式去思考價值投資，把這套方法套用在持有標的，以及正在觀望、計畫投資的企業上。

　　如果買進時的市值（市場價格總值）是 10 億韓元，企業每年賺 3 億韓元，我們就稱其本益比 3 倍（按：10〔市值〕÷3〔稅後淨利〕≒3〔本益比〕）。這樣你覺得要投資嗎？當然要。

　　雖然我們也必須確認其穩定性和成長性，不過，只要企業成立長達數十年，保有技術能力，不太可能中途殺出競爭者，每年都可以穩定創造收入的話，那當然可以投資。若還能配息（按：企業配發現金股利，常見於處於成熟期的企業，沒有大量投資需求，將剩餘的獲利用現金配發給股東），那就更好了。

　　投資小餐廳或便利商店時，我們會分析該地區的商圈，按自己的方式去調查該區居民人口多少、流動人口多少、居民取向為何等資料。

不過，儘管做了分析，還是容易感到不安，我們會擔心是否真的能成功、會不會剛開始營業就殺出競爭對手。

我建議你也將這種心態和股票結合，仔細審視想買進的企業，看它目前在哪個軌道上、累積了什麼技術能力，以及產業是否穩定。

尤其是進軍全球、而非進駐小商圈的企業，像三星這種領先全球的大企業，也有一些合作夥伴尚未受市場關注、價值被低估，我們就應該搶先買入這樣的企業。

倘若你太晚買入，投入的成本很高，那麼，你的心就更容易受股價影響。

散戶們都很常感到慌張，心想：「公司狀況是不是變差了？出了什麼問題？」

自營業者也有同樣的感覺，不知從哪天開始，只要來客數減少，就必須判斷這個現象屬於暫時還是長期；至於要怎麼判斷這個現象，則必須累積觀察經驗。

大企業只要有水流入就能源源不斷，尤其是靠技術性護城河，企業可以不斷擴大市占率，從而增加營收；隨著相關事業增大，便增加子公司，然後再透過子公司擴張新的事業版圖。

以餐廳為例，如果有一間餐廳是該社區的美食名店，那麼，該餐廳之後也可能在其他社區開設分店，而版圖擴大後，就能發展成連鎖店，如此一來，自營店家有一天也能成為大企業；股市小白，也可以靠這樣慢慢成為大戶。

我們要努力找出現在還是小型企業，但其技術能力或市占率等競爭力高，能夠發展得很好的潛力股。未來趨勢為何、技術的

主流是什麼、政府將積極培育何種產業⋯⋯這些資訊，我們都必須了解。

績優股不看本益比，要看公司成長性

我們必須對世界上所有資訊感到敏感，並勤於找出其中精華。市場上有不少本益比只有 2 倍或 3 倍，但前景相當明亮的企業，只要找出那些不容易看到的企業，你的戶頭也能裝得滿滿。

那麼，就導出下列問題：「這間公司本益比這麼低，股價之所以被低估，難道不是因為它是很多間子公司的母公司嗎？」

其實不完全是這樣。只要是穩定的控股公司，資產價值也相應增加，那麼，公司拿那筆資產來做什麼事，就會成為選股時的關鍵條件。

以三星物產（按：三星集團建立之初的核心公司之一）為例，它是三星集團中被低估的控股公司，看似理所當然，因為從公司業績或持有的關係企業之股權價值看來，該公司股價有餘力上升 2 倍，但隨著子公司上市，透過公開發行取得新的資金，母公司的股價難免會被低估。

再者，由於關係企業也將透過上市重新被估值，而當總股份增加，原有的持股股東份額就會被稀釋。

也有一些企業即使擁有不少子公司，股權價值卻沒有因此被稀釋，這種現象出現在子公司尚未上市的時候。

但要注意的是，即使股權價值沒有被稀釋，如果母公司因子公司上市而獲取大量的股價收益，那代表其股價被帶動成長，不

是母公司自己的實力，因此無法獲得高評價。

就我的觀察，公司透過上市接受完整的評價，該公司的母公司的確會被低估。因此，子公司上未上市的母公司，其本益比高達 10 倍，而子公司全部上市的控股公司，本益比一般會在 5 倍左右（按：此為作者個人經驗，較適用於韓國股市）。

接下來，我們可以思考一下委託公司的情況。若 A 公司從三星接到工作，就能創造穩定的營收和利潤，而三星也不例外，當三星投資 10 億韓元到 A 公司時，只需要 3 到 4 年，就有可能回本，這樣應不應該投資 A 公司？

我們可以得出的結論是，除非三星這個大企業倒閉，否則能在 3 到 4 年之內回收投資金額，沒有理由不買進。

此外，因為 A 公司的營運狀況非常好，三星提出了新的合作提案，而 A 公司擴張了事業範圍。因為事業擴張帶來的成長，企業的本益比也穩定提升，不過，若擴展得很快，投入的資本也會增加。

原本現金流應該漸趨安定，企業可能會和銀行貸款，用借來的錢持續投資，不過，我們還必須算進折舊成本（按：如房屋、機器設備等固有資產的折舊）；但就算獲利在一定期間內可能下降，隨著整體事業壯大、賺多賠少，最終將會改頭換貌，成為一間穩定的企業。

假使投資這樣的企業，那麼，本益比就不適用於 3 倍或 4 倍，而應該視公司的成長性，讓其適用於本益比 20 倍（按：若股價可能大幅成長，那就可以以更高的倍數計算本益比，但也必須考慮到產業等因素）。

　　儘管可以如此分析，股市中還有非常多本益比仍在 3 倍或 4 倍、被大家低估的績優股。

買得便宜，就不怕被動搖

　　其實，很多小餐廳也以大企業的水準來賺錢。韓國前總統盧武鉉經常光顧的蔘雞湯店「土俗村蔘雞湯」，以前客人不多，如今卻湧入搭觀光巴士來訪的客人，像這樣的例子不計其數。

　　我們可以看到一些從小店開始，像投資般一點一點的發展，最終大獲成功的店家，也有一些店家，將累積的資本額拿去創業或投資新技術。

　　股市也是如此，我們可以看到韓國網路書店、線上分銷商投資 Klaytn（按：韓國網路公司 KaKao 的區塊鏈子公司開發的虛擬貨幣）後大獲成功的事例。當然，也有像電子遊戲公司網石遊戲投資生活家電公司 Coway 後，儘管主事業的業績很好，但還是因投資失敗導致股價重挫的反例。

　　在主事業穩定的企業中，有些企業會為了未來利益而投資各種產業，這是很好的現象，不過企業的主事業必須夠穩固，不能輕易動搖。

　　也就是說，不能因為投資額太大，導致主事業出現虧損，或是損害主事業的價值或現金流。企業可以朝未來價值發展，但能靠投資穩定獲利的企業才是好企業。

　　還有，有些企業會藉由併購來擴大自己的事業領域，也就是用巨額現金收購優質企業。當兩家公司產生協同效應（按：企業

在收購、合併後，經濟效益會較公司獨立經營時高）時，企業價值也會跟著改變，如果你懂得投資這種企業，就代表你已經具備選股的正確心態了。

從某種程度上看，投資善於經營事業的公司，比直接經營一項事業的成功率要來得高。

事業基礎非常穩定，但股價仍然很便宜的企業，其實非常多，我們要像是在挖掘寶石一樣認真尋寶。

但是，這也不代表買進後就不需要努力了，分析企業、每天確認股價變動，這些事情都會消耗相當大的精力。

另外，為了尋找相關情報並追蹤日後動態，每天都必須投入時間和精力，不能休息。要經歷多道關卡，才能嚐到報酬的甜美滋味。

想讓你的勞力有意義，就必須盡可能便宜的買入；想減少無謂的勞動，就要買得便宜。**買得便宜，才能降低不安、讓自己不容易被動搖；低價買入，才能讓時間和努力的回報最大化。**

有些人只買進暴漲股，投資方法簡直就像是在買彩券，我們不就是為了避免成為那樣的人，才學習價值投資的嗎？就是因為不想被巨大的壓力給壓垮，才會選擇價值投資。

無論是才剛踏入價值投資的世界，還是之前試過、但半途而廢的人，我都想請你先體驗個幾年，親自體會價值投資人的生活之後，才能成為真正的價值投資人。

價值投資是不會虧損太多的投資方式，我在股市打滾的 24 年間，聽過無數名散戶說，想靠價值投資成功，得等上非常久；但是，就我的經驗看來，這其實是最有效率的投資方法。

股市蟻神的重點課

買得便宜，才能降低不安、讓自己不容易被動搖；低價買入，才能讓時間和努力的回報最大化。

Q&A 問問看，答答看！

Q：如果你打算開一間餐廳，最應該先做什麼？

Q：如果其他人反對你開餐廳，你該怎麼做？

Q：如果餐廳生意很好，為了持續發展，可以建立什麼計畫？

4　能賺錢的方法很多，但我堅持價值投資法

假如自己決定的投資方式出錯，那損失肯定很慘重，要是執著於自己的方式，結果失敗的話該怎麼辦？應該有不少人，因為無謂的固執而失敗吧……。

最厲害的投資人，絕對不會將報酬視為目標，他會先專注於風險，然後才決定是否要期待可以承擔風險的報酬率。

——賽斯・卡拉曼

在股市裡，我見過各式各樣的投資風格，每一個成功的投資人，都有著自己的原則；基本上，只要忠於自己的原則，最後都能成功。我剛進入股市時，投資風格與有著韓國巴菲特之稱的朴英旭相似，因此我經常在拜訪公司時遇到他。

第一次遇到，是在韓國三千里自行車製造商。有一天，朴英旭聯絡上我，表示想談談關於該公司的事情，我便與他見面，分享了許多投資心得，也發現我們的觀點很相似，比方說，我們都喜歡在中小型股票中，尋找業界第一的企業，也喜歡在自己的領

域數一數二、擁有技術性護城河的公司。

當然，因為我是行銷出身，我對數字的敏銳度比他還強，他的投資風格與業績無關，反而習慣在買進中小型中堅股後，就將股票抱著，現在他的投資原則仍舊沒有改變。

另外，因為他是證券公司出身，所以很懂得靠人脈來選股。他偶爾也會打電話來推薦某個標的或問問題，是一位非常努力的超級螞蟻。

我在投資初期，也曾嚮往被數字淹沒、不斷讀財報的葛拉漢式投資法，但我在投資的旅途中，一點一點的逐漸改變那個原則。後來我對於專門生產超低溫冷凍櫃的 ilShinBioBase 和韓國化學企業京仁洋行的投資，可以證明我當時被葛拉漢和菲利普．費雪影響。

然後，在韓國遊戲開發公司 Com2uS、韓國資訊技術公司 Nowcom（現為 AfreecaTV）等標的使用的投資方法，則與菲利普．費雪相似，傾向於投資成長股。

曾在 e 三星擔任 IT 策略行銷部長的我，比誰都還要了解 IT 產業的環境，而且我對該領域很有興趣，所以能抱持著自信操作。這樣的投資方法，讓本來固守傳統價值投資的我，嚐到更刺激的滋味，而且多次投資下來的結果都很成功。

隨著投資金額增加，我增加投資房地產的比例，取代投資成長股，藉此分散風險。至於朴英旭，到現在還是對房地產一點興趣都沒有，他認為股票就是一切，是一名堅持原則的保守派投資人，我則與他相反，屬於較靈活的類型。不過這沒有誰對誰錯，只要以各自的取向和投資原則為基礎，好好操作就可以了。

想存活在市場上，第一個原則就是堅守自己的投資方法。我身邊曾有不少炒短線的高手，也有專門做波段操作（按：股價相對低點買進，等到股價相對高點再賣出的投資方法）和量化交易（按：設計電腦演算法後將其運用在投資上的方法）的散戶，但現在都不見了。

相反的，以前有幾位我的員工後來成為有錢人，甚至也有人已經賺到 100 億韓元以上，可說是相當成功。他們也很遵守價值投資的原則，搭上成長股的第一班車，大幅獲利。

不管怎麼看，堅守原則都是一件很簡單的事，只是有人就是做不到。無法遵守原則的人，會嘗試用無數個藉口將自己的行動合理化，自己浪費自己的時間。

投資的第一步非常重要，剛入場時，一定要好好的學，不能耍小聰明。想在日後改正壞習慣，比教什麼都不懂的初學者還困難，因此，如果已經染上壞習慣，就更不容易成功。

身為投資人，我們必須具備選股的好眼光。雖然投資原則有很多種，但只要脫離價值投資的範疇，就無法成功，這點不容置疑。不管你想採用價值型、成長型還是配息型投資，都必須在遵守原則的前提下買賣。

不過，我在市場這 20 年間，沒有看過幾個能堅守原則的散戶，這就表示，忠於原則並非易事，你必須一次又一次的克服心理障礙，除此之外，唯一能做的就是天天練習並確認股市狀況。

對我而言，投資是為了我的家人和未來，所以必須賭上人生、盡全力去做，因此，每次發掘新標的時，我認為投資人都應該保持戰戰兢兢的心情。

股市蟻神的重點課

　　身為投資人，我們必須具備選股的好眼光。雖然投資原則有很多種，但只要脫離價值投資的範疇，就無法成功，這點不容置疑。

Q&A　問問看，答答看！

Q：靠投資賺錢好、還是過上班族生活好？你認為這兩者各有什麼好處和壞處？

Q：哪一種生活更適合你？你想從事什麼職業？

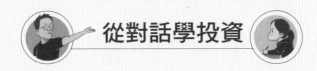

股神巴菲特的兩個原則

上次我們在對話中談了什麼？

時間自由、財務自由和關係自由。

為了得到這 3 個自由，我們需要什麼？

錢。

沒錯，錢就是那麼重要。我們學習經濟、投資股票，最終都是為了得到自由。上次說過，關係自由是什麼意思？

是選擇的自由，可以選擇要不要買什麼東西、要不要和某個人見面。

可以隨心所欲的選擇，是多大的幸福，你明白嗎？你年紀還小，所以很常由父母或老師為你決定事情，但等到年紀變大，你就需要自己決定自己的人生了，無論是多小的事情都必須由自己選擇。要上哪所大學、去哪裡旅行、跟什麼朋友見面、要把錢花在什麼地方、要花多少……你要成為能夠自己決定這些事情的人。

嗯。

今天要談些什麼？你有在書裡讀到什麼新內容嗎？

巴菲特說過，投資有兩個原則，第一個原則是不要賠錢，第

二個原則是不要忘記第一個原則。

他的意思是，我們不能忘記安全邊際的重要性。

對，在這本書中，那個爸爸把好的企業比喻為帥氣的企業，他要女兒用低價買進帥氣的企業，再用高價賣出。

這就是我每天教導大家的內容。投資時，低價買進是核心重點，但什麼叫做低價？為什麼會出現便宜的股價？

因為大家沒興趣？

對！為什麼會沒興趣呢？

嗯……因為找出好企業的能力不夠？

答對了！爸爸再說明得更簡單一些，如果我們把現在住的這間公寓打 7 折後，放到市場上賣，你覺得會在幾分鐘內賣掉？也許 1 秒內就會賣掉了。但就算有些企業打出 5 折、3 折的優惠，人們還是提不起興趣，理由是什麼？

這個嘛，我不知道。

這是因為他們不會估值。你知道什麼是估值吧？稅後淨利 100 萬韓元的企業，市值應該是多少？如果本益比當成 10 倍的話？

1,000 萬韓元。

沒錯！但是在韓國，賺 100 萬韓元的企業當中，也有市值是 500 萬韓元或 300 萬韓元的公司，很神奇吧？讓我們回到一開始，為什麼巴菲特一直強調不要虧錢，然後提到安全邊際呢？什麼叫優秀的企業？

《投資心智》這本書裡提到，要買價格低於市價的企業，我想把這些企業，稱作「性感的企業」，因為企業的色彩越豐

富，對投資人而言越有魅力，這樣明白嗎？

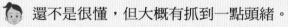還不是很懂，但大概有抓到一點頭緒。

只要有抓到一點頭緒，就是在養成投資的心態了！

5 | 賺錢原則很簡單，為何還是有人賠錢？

在股市，100個人當中，就有90個人會失敗，這些失敗的人有什麼共同點？書裡或網路上有不少關於這些人的故事，為什麼一直有人投資失敗？

如果有人不曾失敗過，把他帶來給我看看吧！我會證明，那個人其實一事無成。

——美國職業籃球員約翰·科林斯（John Collins）

投資失敗的原因不勝枚舉，即使在牛市中，也有90％以上的投資人虧損，在這裡，我要分享8個最常見的失敗原因。

1. 只知道跟風買暴漲股

雖然虧損的理由很多，但最主要的原因，在於多數新手投資人都在不知道企業價值、也不學習的狀態下，就隨便買賣暴漲股，或是盲目聽信小道消息。

因為不知道如何估值，因此不清楚股價是否合理，只是盲目

認為該公司股價會上升，就像飛蛾撲火一樣，二話不說的跟著別人買入，這是散戶投資失敗的第一個原因。

我時常強調：「**評估企業價值，只在便宜時買進，貴的話就別買。**」我之所以會不斷強調，不要跟風買進暴漲股，原因就在這裡。

我認識很多散戶，其中也有不少是經由我介紹而投入股市的弟子，加起來肯定有好幾百個人，但在他們之中，大獲成功的人只有10％。這些人現在活躍於各式各樣的領域中，有人在政府機關工作，有人是證券投資分析師，有人自己開一間小型投資公司，也有人已經退休，享受著悠閒的生活。

當然，他們之中也有人失敗了，即便是向我學習，也不能保證成功，因為就算學得再多，每個人的投資風格還是不一樣。

2. 過度信任內線消息和明牌

很多在汝矣島（按：首爾的金融與投資中心）證券街的散戶都會互通內線消息，甚至透過買賣消息來賺錢；而因為不知道該情報有誤，在一個早上賠掉所有財產的也大有人在。

事實上，內線消息在牛市中的準確度算高，不過，市場裡充斥著許多情報，而要交叉比對這些資訊的真實性，並不是一件容易的事。舉例來說，市場傳出 A 公司要無償配股、公司業績很好，甚至和三星電子的交貨合約已經拍板定案等消息，只聽信這些情報就買賣股票的話，總有一天會因為錯誤情報而蒙受巨大損失，我也有過幾次這樣的經驗。

資訊傳進耳中時，一定要親自進行交叉比對。在股市中，也

有很多散布不實情報或誇大資訊的大嘴巴，所謂的大嘴巴，就是一群到處放話的人，他們利用電話或簡訊，故意將錯誤資訊流入市場，一天就能散播許多不實情報。

所以，我們要好好匯集那些情報，然後交叉比對，只有在確信消息時才能使用。要是不經任何確認，只單純聽信消息，因為那些明牌而賺取一、兩次報酬，就一而再、再而三的不斷投入股市中，那麼，最終肯定會因為一次失誤而敗光財產。

我的學弟 A 曾投資一間遊戲公司，賺到超過 50 億韓元的報酬。他還實際探訪該公司、試玩尚未上市的遊戲，在聽了很多名證券分析師的樂觀分析後，他便砸下重金投資該公司，結果所有財產一次賠光。

為什麼會這樣？雖然遊戲上市後，市場反應不如預期是其中一個原因，但主要仍是因為他太依賴別人報的明牌，導致他失去投資人該有的判斷力。

情報也有品質好壞之分，有可能內線消息有 10 個，但我們只有聽到 9 個；而且，高層人士或員工散布的消息，可靠性也不同。雖然市場中充斥許多情報，但要自己確認這些資訊是否確實並不容易。

韓國生物科技公司 Helixmith 的臨床試驗失敗，就是個很好的例子。臨床試驗結果出來之前，在網路上看到 Helixmith 的董事和管理高層在國外的合影照片，看起來笑得很開心，大家都預測試驗已經成功。

就像這樣，很多人因為一張臉書（Facebook）上的照片而失利，因而落入情報的深淵。內線消息聽久了，如果突然需要自己

掌握內容，反而會因為能力不足而無法得知正確性，這就是情報交易最危險的地方。

汝矣島的散戶們時常相見，透過各種聚會交換情報。而我之所以不參加那些聚會，是因為我太清楚這種小道消息的危險性，反而努力不去聽，畢竟這種資訊會混淆人心，也可能改變你的投資心態。

所以，只要是和股市有關的訊息，我都會親自確認過。我認為，只有親自確認的情報，才是正確的情報。

另外，買賣小道消息，很可能導致你對持股一知半解。有些投資人認為：「那間企業做什麼不重要，我把重點放在線圖或內線消息上。」這句話最大的問題在於，那些投資人不僅不了解自己持有的股票，連對日後要買進的股票都毫無頭緒，投資一個自己不了解的公司，這說得過去嗎？

所以，我們必須了解我們所投資的企業，至少要知道得和該公司的內部人士一樣多。因此，我們必須關注該公司的商業模式及日後發展方向，至少要將近幾年的新聞全部讀過之後再買入，不過，一般投資者並不會這麼做。

我之所以會勸大家不要持有太多支股票，是因為如果你持有的股票像百貨公司一樣五花八門，卻對企業一知半解，失敗的可能性就越高。

真正的高手，通常只需要 2 到 3 支股票，「投資你認為可以全部梭哈的股票。」巴菲特和富達投資（Fidelity Investments）副主席彼得・林區（Peter Lynch）都說過類似的話，理由在於，若是持有多家企業，你就無法正確又長期的深入觀察。

由於新手投資人無法深入了解企業，因此增加標的數也是個不錯的方法。從新手投資人到中級投資人，再變成專業投資人，越資深，就越應該繼續練習減少個股數。**如果無法徹底了解一家企業，只要股價下跌，你就會感到焦慮；才上漲一點，你就會輕易賣出，這是新手最容易犯的錯誤。**

我個人認為，這種狀況最可惜了，在投資的世界裡，解決這類課題，才是邁向專業投資人的道路。

3. 過度怠惰，沒有反覆追蹤

投資就好比呼吸，不可以停下來，必須持續不斷的執行。但是，很多散戶都只調查關於某企業的知識一次，就將其放入關心項目之中或是買進，然後再也不反覆追蹤。

重要的是，投資可以慢慢來，但萬萬不能停止，因為你必須像在呼吸一樣，持續的研究。高三學生為了考大學，會為學測做準備，那如果考生休息一週，會怎麼樣？讀書的節奏肯定會變慢，甚至還會忘記之前背過的內容，若想重新找回原來的節奏，得花兩倍以上的精力。

修習投資這門課，也需要不斷的帶動節奏，但是，很多投資人投入資金後，便忽略持續追蹤的工作。我每天都會確認與我投資的企業相關的新聞，沒有一天休息，因為我不知道明天又會有什麼變化。

如果那一天太忙，我還是會逼自己讀新聞標題，藉此記住投資的感覺。懶惰的投資人無法成功，而且懶惰並非只影響投資，對於生活上的成功也會造成很大的影響，因此我們必須勤勞。

4. 賺了一點小錢，就自認了解市場

散戶的大忌之一，是自滿。曾向我學習的學生當中，雖然有很多人離開我之後很成功，但失敗的人也不少，若是稍微接觸過股票投資，然後嚐到幾分甜頭，就會覺得股票投資很簡單，然後慢慢變得自滿，並浮現「現在我都會了」的念頭。這種人，最終都會遭遇一次巨大的失敗。

「我像金政煥一樣，用屁股投資，買好就把屁股黏在位子上。」雖然也有人相信這句話，但一樣會有人批評：「用那種方法投資，何年何月才能賺到錢啊！」也有人一邊搖手，一邊說：「像他那樣投資的話，太無聊了。」

查理‧蒙格就曾說過：「**所謂投資，就是找出幾間優秀的公司，然後把屁股黏在那裡不動。**」這句話不錯，若是輕易交換情報，不會自己確認，而是跟著朋友投資的話，就會慢慢墜落深淵。這種懶惰、好像自己對市場已經很了解的態度，是投資人最不該有的缺點。

彼得‧林區則曾如此勸告：「市場和投資一點關係都沒有，我曾在景氣非常糟的時候賺到錢，相反的，也曾在景氣很好的狀況下虧錢。不要為了預測市場，浪費你的精力。」這句話也說得很對。因此，不能因為自認了解市場而感到驕傲。

到現在，我依然謙虛且勤於學習，而且絕對不聽信內線消息，其實，這就是投資的基本功。

5. 因為一次成功，賠掉全部財產

股票這種東西，即使只好好投資一天，也可能上漲 10%，

有些人會立刻用那些錢去住高級酒店、買好車、出國旅行，把錢胡亂揮霍掉，正如前面所述，有些人只因為一點成功，就認為投資很簡單。

如此一來，這些人就會在不知不覺間變得傲慢，並開始買不適合自己的名牌，或是搬進難以負擔的大房子，即使不需要用車，還是會花錢買下超豪華房車邁巴赫（Maybach）。

老實說，這種階段我也經歷過。有一段時間，我變得非常自滿，過著奢侈的生活，不僅到處炫富，還跑去玩有錢人的運動——高爾夫球。

幸好，後來我認清了現實，現在也努力的生活著。曾經如此盲目，沒有賠掉所有財產，我認為已經很幸運了，過度奢侈和傲慢，絕對是導致沒落的主因。

6. 受新聞和小道消息影響的恐慌仔

在投資人當中，膽小鬼意外的多，也就是那些只要市場下跌，就開始忐忑不安的人。

這和投資心態有關，只要整體市場下滑，導致股價下跌，他們對手中企業的信心就會消失，忘記當初投資該企業的理由，並開始感到焦慮。

眼裡只看得見利空消息，耳裡只聽得見關於那家企業的糟糕新聞，只要誰說了消極的話，心裡就會不安，然後按下委賣、認賠拋售，後來，又因為失落及空虛而感到茫然若失。

確定認賠之後的心情，經歷過的人都很清楚。但是，這種恐慌仔只要賣出，股票就一定會上漲。

　　如果是優質企業股價下跌的話，當然是可以增加股數的機會，但即使如此，還是有很多人因為不安而不敢再買進。

　　若重新產生了勇氣，追加買入的話還沒關係，但市場會等你嗎？結果，每次在低點時賣出，該企業股價就暴漲，這樣的情況反覆發生幾次，就會讓許多人離開股市。

　　相反的，也有不少投資人，只看韓國男子團體防彈少年團的人氣，就在經紀公司 BigHit（按：該公司已於 2021 年 3 月更名為 HYBE）上市時，連企業分析都不做就盲目投資，甚至還出現報導，說有人在 1 股 30 萬韓元的價格進場，連結婚基金都投進去，結果虧損 30％。

　　怎麼會有人把結婚基金拿去做這種投資？還有人原先在梨泰院（按：首爾著名商圈）開餐廳，虧損了 3.5 億韓元，因為虧損太嚴重，所以店主想用股票來挽回，於是借了 3 億韓元投資 BigHit，卻出現 40％ 的負值，反而虧得更多，產生超過 1 億韓元的負債。

　　當時甚至還跑出很多股市小白，問我股票能否退錢，我只好一一回覆「不行」。

　　買賣之前，我們必須擁有足夠知識。像 BigHit 的狀況，我已經說過：「在上市第一天，只要出現回檔（按：交易市場中某檔股票在連續上漲後，買盤力道漸弱，使得股價下跌）訊號，就一定得賣掉。」

　　我在做企業分析時，預估如果市值在 4 兆韓元左右算合理，但是，即使勸大家在那之前不要投資，還是會有人根本不估值，就為了一時的報酬盲目買進，結果當然是慘賠。

7. 趁牛市入場，卻無法堅守熊市

投資人的心態如果不夠堅強，就無法成功，然而，若不具備對於該企業的信心，難免會受到動搖，新手投資人通常都會遭遇這樣的狀況。

在這世上，沒有人看到股價下跌，還能毅然決然的抱著股票，所以，我們更應該擁有堅強的心態，才能自在的堅守熊市（按：又稱空頭市場，指價格走低的市場，為牛市的相反）。

累積投資經驗和知識之後，心態會隨著學習量的不同，產生很大的差距。為了具備投資心態，我們必須實際進入市場，而想要堅守投資心態，則必須不斷努力。這些都是散戶注定要經歷的過程。

很多人之所以膽怯，是因為他們怕賠錢。尤其最近在牛市開始投資，只有獲利、沒賠過的年輕投資人，一旦出現虧損就會緊張到發抖。

其實，我在投資初期也是這樣，那時我虧了 300 萬韓元，真是痛苦到想死，30 歲出頭的我頭一次領悟到：「原來股票真的這麼可怕啊……。」

在那之後，我經歷過很多次經濟危機，像是次貸危機（按：美國國內抵押貸款違約和法拍屋急劇增加所引發的國際金融危機）、911 事件、新冠疫情等。經歷這些危機的時候，我腦中也多次浮現「投資真可怕」的念頭。

為了在股市中存活，我們必須充分取得各種經驗，並反覆體驗，直到完全內化為止，累積經驗的同時，也得保持謹慎、注意與勤勞。

8. 耳根子太軟

市場中有不少對抗主力的人，想動搖散戶的心，他們會說：「指數快要大跌了。」

這些人也有可能投資了反向 ETF（見圖表 2-5），或是已經賣空的主力，他們會到處放話：「光是轉讓差價的稅金，在年底就將超過 10 億韓元、國民年金將賣出 10 億韓元以上、法人要出事了、法人大量回購害市場要出問題了！」

如果你覺得負面新聞看起來很多，正面新聞卻很少，這可能是因為你沒有自己的投資哲學。

每個人的腦中，都應該有看待市場和企業的觀點，如果缺少這些觀點，只要市場發生變動，投資人就會看不見標的，只能順應市場，輕易的將股票拋售出去，這也是新手投資人面臨的一大問題。

總的來說，散戶必須同時細看企業，並宏觀市場整體狀況。

圖表 2-5　什麼是反向 ETF？

與普通 ETF 一樣，都會追蹤相關指數表現，但是「反向」ETF 顧名思義，代表其回報與相關指數呈反比，相關指數上升，反向 ETF 的價格就下跌，而指數下跌，反向 ETF 的價格就會上升。舉例來說，台股中有元大台灣 50 反 1（00632R），全名為元大台灣 50 單日反向 1 倍 ETF，其報酬率計算方式為標的指數下跌 1% 時，ETF 追求上漲 1%。

股市蟻神的重點課

投資人的心態如果不夠堅強,就無法成功,然而,若不具備對於該企業的信心,難免會受到動搖。在這世上,沒有人看到股價下跌,還能毅然決然的抱著股票,所以,我們更應該擁有堅強的心態,才能自在的堅守熊市。

Q&A 問問看,答答看!

Q:如果你有一間公司,你覺得按照自己的原則經營就好,還是照著成功者說的話行動比較好?還是說,只要和失敗的人做相反的事就行了?

Q:決定一件事情時,自己的原則和他人的建言,你覺得哪一個比較重要?

6 | 基礎先打好，新手比老鳥賺更飽

我最感到好奇的是，你已經得到超級螞蟻的稱號，還賺了很多錢，為什麼還要這麼努力的過日子？明明現在稍微放鬆、享受一下也不為過。

最忙的人，擁有最多時間。

——俗諺

包含我的 YouTube 頻道訂閱者在內，不少認識我的人都會問我：「你為什麼要這麼努力的過日子？你不累嗎？感覺你真的好勤奮。」

關於為什麼要努力生活，我是這樣回答的：「我還能過得比現在更努力，我還沒用盡我的全力。」我認為，現在我所使用的力量，大概只占我擁有的能力值 50％。針對「你不累嗎」這個問題，我的回答是：「我不覺得累耶，我好像可以活得更累一點！」還有，對於「為什麼這麼勤奮」這個問題，我會回覆：「我本來就很勤勞。」

　　事實上，我以前也和一般人一樣懶惰，過著沒有什麼目標的生活。直到我過了 30 歲後，才開始有了改變，我開始努力過日子，也變得更勤勞，而且甚至不感到疲累，之所以能做到這樣，是因為我的處理容量越來越大的緣故。

　　我們從 286（按：指英特爾〔Intel〕出過的電腦 CPU〔中央處理器〕系列）開始，跨越 386 的時代，現在則使用容量大且速度快的電腦。人也不例外，只要經常使用頭腦，使用容量就會越來越大，處理思維的速度也會變得更快。

　　身為投資人，我們有一個重要的目標，那就是努力學習，並用投資得到財務自由。得到財務自由和時間自由的我，現在的目標是留下紀錄，想盡可能的讓很多人透過我，正確的學習怎麼投資股票、讓更多人獲得財務自由。能夠和大家分享我領悟到的內容，我感到很開心、很幸福，也覺得很有意義。

　　投資股票絕對不是免費獲取報酬，你的獲利會根據努力程度翻倍。想比別人更快找到被低估的優質股，就得每天努力做功課。只要認真選股，你的生活就能比現在自由上好幾倍。

　　為了達到這個目的，各位必須提高自己的處理速度，也就是要透過學習，將大腦的處理器升級成奔騰（Pentium，英特爾現今銷量最好的處理器），而非停留在 286 和 386。只要努力過日子，處理速度自然會變快。若努力 5 年、6 年，甚至 10 年，一定能擁有和我一樣快速的處理速度，因而知道更多的事情。

　　當然，想要變成高手，肯定不是容易的事，不過，只要一邊增加現在的處理速度，一邊努力，就能自然而然的達成。首先，從一開始就要忠於投資的原則和基礎，慢慢練好基本功。講到投

資，沒有什麼比原則更重要了，要是一開始學會錯誤的原則或養成壞習慣，就會敗在關鍵的第一步。

要擺脫長久以來的投資習慣，不是一件容易的事，就像是在白紙上畫畫，比修改已經畫好的圖簡單一樣。

成功來自極度迫切的渴望，所以你要有那份迫切的渴望，然後注入熱情，讓自己變得勤奮，再透過設定目標、累積實力，增加處理速度和容量，就會得出結果。

歲月飛逝，一眨眼我也超過 50 歲了，我的投資年資已經超過 24 年。儘管目前已經累積了不少的數據，但我到現在還是持續不斷的學習。我們都是人類，雖然不能像 AI 一樣快速運轉，但只要持續累積努力，一定能戰勝電腦和機器人。

股市最終還是會因人而運轉，因此我們必須解讀人的心理，想做到這點，就需要人文思考。不僅要學習經濟，還要同時鑽研人文學（按：又稱人文學科，以觀察、分析及理性批判，來探討人類情感、道德和理智，包含哲學、宗教、藝術等學問）。平時多方面關注、傾聽各方面的知識，對投資也會有很大的幫助。

把報酬當作幸福的零用錢

身為投資人，當然應該懂得計算數字，然而，我們也不能追著金錢跑，把賺到的報酬當成零用錢，適度使用就好。

你為什麼要投資？並不是只為了自己，對吧？我認為大多數散戶開始投資，第一個理由都是家人，第二個理由才是為了自己的成功和滿足感。

其實，我母親現在也正在抗癌中，她現在是乳癌第四期，每天都在和極大的痛楚作戰，因沒有力氣，連走路都很困難（按：作者母親於 2021 年 1 月 21 日逝世，願逝者李英子女士安息）。

我的母親曾是韓國最厲害的銷售業務員，從她的嗓音和態度，都能感受到滿滿的魄力，然而，現在她的聲音聽起來既無力又痛苦，所以我常常為母親打氣。我有兩個妹妹，她們的丈夫都是受社會尊敬的專業人士，我怕母親在為女兒們的未來擔心，所以說道：「有這麼好的家人，還擔心什麼！」

但我後來發現，母親擔心的並不是這個，而是股市連日暴跌，她擔心兒子這個投資人因此受苦，所以才那麼沒力氣。

我知道事實後嚇了一跳，自己的身體都那麼不舒服了，竟然還擔心兒子！因此，我靜靜的對她說：「媽，我今年的報酬是歷年來最高的，不用擔心。光是房地產就超過 150 億韓元了，沒什麼好擔心的，醫療費和支出我都會負責。」

偏偏那時岳母也病了，必須進行一項大手術。雖然岳母有位大兒子，但我表示我會負責。家中只要有人生病，大家都會變得很辛苦，沒有錢的話可就更辛苦了。

我們努力在股市生存，就是為了和家人一起享受幸福，我們可不能忘記這一點。不要犯下沉迷於投資而忘記現實的錯誤，每天除了花一定時間在投資上之外，家人也應該要分到相同比重的時間。

我們必須將現實擺在第一，若沉迷於浮雲般的發財幻想中、無視現實，往後肯定會後悔。投資再怎麼成功，要是身邊沒有家人，又有什麼意義？

股市蟻神的重點課

投資股票絕對不是免費獲取報酬，你的獲利會根據努力程度翻倍。想比別人更快找到被低估的優質股，就得每天努力做功課。只要認真選股，你的生活就能比現在自由上好幾倍。

Q&A 問問看，答答看！

Q：富人已經有很多錢了，他們還會繼續努力工作嗎？還是會玩樂度日呢？

Q：如果每天都在玩樂，這樣的生活真的幸福嗎？要是每天都是星期日，你覺得會怎麼樣？

Q：你最近哪一次花錢，目的是為了幸福？

7 | 看不到獲利模式的股票，請果斷拋售

投資股票的根本目的……不，賺錢的根本目的是什麼？我們是為了賺錢而賺錢嗎？錢很多卻不幸福的人，意外的不少！

若沒有苦惱過，就得不到幸福。如同火煉精金，理想通過苦惱達到淨化。至尊的王國是靠努力得來的。

——俄國小說家
杜斯妥也夫斯基（Fyodor Dostoyevsky）

投資股票的理由，簡單來說就只有一個，那就是為了獲得幸福的生活。會這麼努力，不就是為了得到財務自由和時間自由，藉此變得幸福嗎？我也不例外，因為我認為，只要多一點自我犧牲，並努力生活，就能帶給家人極大的舒適和幸福。

各位在投資股票時，特別是在熊市，應該常常有這種感覺：「唉……投資股票好累，讓我好憂鬱……。」

雖然我說投資時，應該要感到幸福，但還是有不少投資人正

在失去幸福，我也一樣，雖然已經投資超過 20 年了，還是常常有這種感覺。

當然，現在我已經得到某種程度上的財務自由，所以我可以維持這份幸福過日子，但對於還在爭取財務自由的人來說，他們很可能在股市遭遇困境，而困境總是伴隨不安和苦衷。這就是為什麼我經常說，想投資，就要幸福的投資。

待在股市的日子中，我也常有不幸福的時候，這是因為幸福會根據你選擇的企業有所改變。如果你手中的企業讓你很不安，那當然會很不幸福。

比方說，我過去投資生技公司 Helixmith 長達 6 年，但我這整段時間都非常焦慮；由於我憂心忡忡，加上這是間生技公司，要了解其專業非常困難，股價的漲跌幅度也相當大，所以當時我不斷的和發言人（見下頁圖表 2-6）通電話。

在蒐集和企業相關論文及資訊的過程中，我也遭遇過很大的困境，那個過程足足有五、六年之久，對我而言，那段時期絕對說不上是幸福。

一開始，管理帳戶的證券公司員工推薦 Helixmith 給我，我便在五萬多韓元時買進並開始累積。光是在我投資的期間，公司就發起了 3 次現金增資（FPO，上市公司首次公開發行〔IPO〕後，又再次發行股票，目的是透過發行更多股票來融資、償還債務，或藉由收購籌集更多資金）。

我從 5 萬韓元開始投資，抱著投資成長股的心態，一邊學習關於生技業的知識，一邊擴大投資比重，我一直買到 1 股 22 萬韓元，總計手上這檔股票也超過 70 億韓元，因為該企業曾兩度

上漲到 1 股 30 萬韓元，評價金額可能遠遠超過 100 億韓元。

因此，我決定探訪位於美國聖地牙哥的生技公司 Genopis，於是計畫了一趟美國之旅。原本想來一趟家族旅行，但因為當時就職的公司不允准，我便隻身前往聖地牙哥，在毫無計畫的情況下，就去拜訪 Genopis。

在那裡，我見到了執行長，也看到關於那間公司的一切，雖然整體來說有些失望，但我還是學到了很多東西。

在這之前，我對 Helixmith 的臨床結果沒有信心，所以不斷宣稱在臨床結果出來之前，就要把股票賣掉，結果在前往美國之前，股價約為 27 萬韓元時，我就將股票全數賣出。

在那段期間，Helixmith 的執行長金宣榮獲得大筆擔保放款（按：借款人以某些資產〔如汽車或財產〕作為貸款抵押品，該資產隨後成為借款人欠債權人的擔保債務）——我認為這是最關鍵的導火線，400 億韓元究竟要用在哪裡？是要用在 Genopis，升級為大股東，還是要現金增資？

我當時認定會現金增資，所以將 Helixmith 的股票全數賣出

圖表 2-6　什麼是發言人？

在上市公司中，都有發言人一職。只要進去公開資訊觀測站，輸入公司名稱或代號，就能看到發言人的電話號碼和職務等。不用害怕打電話給發言人會很難或有壓力，就算只持有 1 股，股東也能詢問和企業有關的事情。

公開資訊觀測站

後去了美國，在 1 股都沒有的情況下，拜訪了 Genopis。

拜訪完公司之後，我的心得是：「原來我之前投資得太過頭了。」而且，經過分析，我認為這間公司不太可能以我原先期待的方式大漲。在售出的過程，我告訴周圍的投資人這個消息，也寫了很多公開文章、打了非常多通電話，亦公開表示我不會再持有 Helixmith。

在我宣布這件事情之後，很多投資人抨擊我「都賣完後才變反對派」，但是，儘管受到抨擊，我還是相信自己的判斷，因此我繼續對外發出警告訊息。Helixmith 在進行兩次現金增資之後，又做了一次現金增資，原本堅守在 1 股五、六萬韓元的股價，就這樣跌到三萬多韓元。

像這樣回顧著過去，我感受到：「原來我不幸福！我要把所有讓我不幸福的股票都處理掉！」這是我在投資過程中所學到最大的教訓之一。

實際上，我和發言人通了將近 500 次的電話，出席了三、四次股東大會，還寫過無數的文章、做過無數次的企業分析。和其他企業相比，雖然付出了 10 倍以上的心力，但不安感始終沒有消失。

我們必須警惕自己，不要投資不懂的東西，還有，試圖看見隱藏起來的東西很重要。所謂隱藏起來的東西，就像是公司的潛在價值，但如果不管再怎麼努力，都還是看不到的話，這就像當時我看不見 Helixmith 的前景一樣，我直到選擇果斷拋售、到海外旅行之後，才找回內心的平靜和幸福。

投資的目的是得到幸福，所以，如果你的操作過程非常不快

樂，那這就是賣出的最佳原因。還有，如果不管怎麼努力，都看不到某間公司的未來、摸不到某檔股票的走向，那就應該果斷放棄。這就是我在這 6 年間學會的事情，這趟投資旅程，至今仍是我記憶中最不幸福的一段經驗。

許多散戶明明很焦慮、不幸福，卻仍然在買賣股票。投資的第一個原則，就是要幸福。可以去找隱藏起來的東西，但那個東西你必須看見；可以去摸不能摸的東西，但那個東西你得真的接觸，這樣才能變得幸福。至於那個東西指的是哪一類型的企業，需要你親自解答，這是你的課題。

請思考看看，究竟有什麼東西，能夠清楚摸到企業價值。讀完本書之後，相信你就會知道答案。

 股市蟻神的重點課

投資時應該要感到幸福，但還是有不少投資人感到不幸。其實，幸福會根據你選擇的企業而有所改變，因此我們必須警惕自己，不要投資不懂的東西，而要努力看到企業隱藏起來的另一面。

Q&A 問問看，答答看！

Q：錢的多寡和幸福成正比嗎？
Q：如果你現在手上有 2,000 元，你會做什麼？你要做的事和幸福有關嗎？

8 投資就是淡入與淡出的過程

有時候，新聞中或書上會出現「股票投資的責任都在自己」這種話，真的必須由自己承擔所有責任嗎？要是聽了別人的話投資，結果什麼都沒了，該怎麼辦呢？

若是找不到機會，就要自己創造機會。

——美國百貨商店之父
約翰・沃納梅克（John Wanamaker）

誰都無法為你的人生負責，只有相信自己、努力學習，才能達成自己的目標。

你的投資原則會保護你，所以，你要用企業老闆的心態投資，讓自己的努力和報酬率成正比，不能心存僥倖；經過反覆的嘗試，你就能把經驗內化。

另外，投資股票時需要調整比重，在生活中亦是如此，我強調很多次，我們必須忠於工作和家人。

許多投資人從市場消失的理由，就是因為恐懼。最初明確的

原則消失了，連聲音都跟著淡出（fade out）。他們起初擁有的信心已經消失，只留下懷疑的心態。

我持有的某股票融資交易超過 10％，因為暴漲，從帳面上看來像是賺了將近 150 億韓元。

其他散戶看到此狀況，被貪念蒙蔽了雙眼，看我似乎賺了很多，就也跟著融資買股，之後隨著我減碼淡出，這些散戶也跟著消失。

其實，買進時應該要隨著時間慢慢加碼，這叫做淡入（fade in），也就是指，散戶要確定這檔股票能賺錢，才能不理會周遭的聲音、不被他人左右，好好堅持下去。

「你當初是看上了什麼，才把錢投入這支你不了解的股票中呢？」我會問我的學生這個問題。從一開始，你就應該擁有相當明確的原因，並支持自己的原則，藉此抵擋所有來自外界的噪音，或自己心中的雜音。

大多數人的投資方法，其實都是在追隨流行，每天到處尋找暴漲股，或是相信各種小道消息，既沒有一套買賣哲學、也毫無原則可言，只是跟著流行快速改變風格而已。

不管是否流行，我都只依循自己的哲學。投資就是淡入與淡出的過程，要跟隨潮流還是引領潮流，都取決於自己。

對任何人來說，投資都是件辛苦的事情，你必須尋找證據並堅持下去，直到不會焦慮、能夠消除恐懼為止。若連這都不打算認真去做的話，那麼去職場上班、安分的儲蓄會更好。只要是投資人，就不應該盲目相信別人。

一開始，我偶然在就讀研究所時接觸到股票投資，雖然在課

堂上我也有學到東西，但當時我站在人生的十字路口上，其實一直在思考是否該和其他同學一樣進去大公司，還是應該為自己開拓一條新道路。

剛開始投資的時候，我偶爾會去證交所，當時 HTS（Home Trading System，在家或辦公室交易股票用的電腦程式）第一次出現。

因為電腦和網路速度都很慢，所以有時候我會去位於鐘路二街的三星證券，在那邊和證券公司的員工交談，有時候還會把寫在紙上的委買委賣單推到窗口等待。大部分上了年紀的大叔大嬸們，都會盯著證交所的電子看板，如果有上漲的股票，就會跑到窗口下單。

看到這幅景象，我不禁心想：「那些人究竟是看什麼決定投資的？」

他們只看市價、直盯著價格變化，只要買下後就三三五五的聚集到吸菸室，針對股市展開舌戰。我則勤奮的問負責的職員：「你是看什麼投資的？」他回覆，主要是看情報和線圖來交易。

職員告訴我：「這支股票在上漲，聽說 A 和 B 要合併！線圖超棒的！」

其實這就是以前的投資方式，那個年代買股票，算不上是操作、也不能說是投機，很難定義。

而在這之後，網路泡沫（按：1995 年到 2000 年，在美國與各國發生的網路相關企業重挫及泡沫經濟現象）到來。網路泡沫來臨後，許多本來漲了數百倍的企業，都變得一文不值。在那時，我記取了一個教訓：所謂股價，其實就是將你對未來抱持的

期待，盲目的當成現況。

但是，我們無法知道這份期待什麼時候會成真，也許是 10 年後，也可能要等上數千年，所以我認清了，我不能這樣投資，這種不經思考的投資不會有好下場，所以才開始學習價值投資。

我知道學習會需要不少時間，便同時進行投資和學習，也會在選定 1 支股票後，去請教證券公司裡的後輩，慢慢減低風險。遇到不懂的財報，也會向後輩或朋友討教，來充實還不太會做企業評價的自己。

日後，當人們問我成功的祕訣時，我都這樣回答：「我深入鑽研了 1 檔股票。」

我選擇的方法，是學習在分析該股票時必備的所有知識。在我慢慢的將知識缺口填補起來時，持股的股價就在一年內上漲到原來的 4 倍。

我的投資方法是反過來學的，開始交易後，再努力將知識缺口填滿，用這個方式不斷精進，漸漸的，我的投資技巧變得更加細膩。

回顧過去的投資經歷，就會為自己倒抽一口氣，覺得自己真是無知。雖然結果還算成功，但現在全球景氣越來越差，可不能再靠運氣和直覺。

可以參考過去的歷史，但不要執著於過去，不斷確認現今產業和企業的變化才是最重要的事情。

雖然想在艱難的時期獲得財務自由並不容易，但絕非不可能，現在就起身行動吧！

股市蟻神的重點課

可以參考過去的歷史，但不要執著於過去，不斷確認現今產業和企業的變化，才是最重要的事情，每個投資人都必須更講究細節。

Q&A 問問看，答答看！

Q：如果朋友跟你說：「這件事很棒喔！」你跟著做了，卻得到不好的結果，這是誰的責任？

Q：你怎麼看待別人給你的建言和勸告？

Q：你想更深入了解股票嗎？應該先從什麼開始學習？

9 | 散戶大忌：百貨公司式選股

很多人因為賠錢，所以感到後悔，怎樣才能不虧錢又不後悔？

儘管世界上有許多人，對過去的行動感到後悔，但真正應該後悔的，是沒去做該做的事。走到人生的盡頭，才後悔沒做該做的事，那才真的令人感到悲哀。
——英國詩人羅勃特・白朗寧（Robert Browning）

投資股票，是否就代表你每天都在後悔、或感到緊張兮兮？錯，投資是在減少後悔。如果你有買賣股票的經驗，就會發現，人生真的充滿了各種悔意：

「要是能回到過去，我就會買那支股票。」
「哇！這是我當時看過的那支股票。」
「當時我怎麼沒有研究那一檔？」
「只要一直抱著就好了，之前怎麼那麼快就賣掉了？」

「早知道當初就多買一點。」

即使是現在這個瞬間，還是有無數個機會與你擦身而過。應該有不少人會想：「只要能回到幾週前，不，只要能回到幾天前的話，那該有多好。」

因此，價值投資人需要一邊學習，一邊認真分析自己所選的標的，連一個相關的小新聞都不能放過。他們必須看財報和企業報告，甚至連底下的註腳都逐一確認，用這樣的方式學習，才能描繪出具體方案，追蹤自己持有的企業未來將如何變化。這種過程和實力，最終都會成為投資人最大的資產。

其實不只是投資，我們的日常生活，大部分也在後悔中度過，所以，無論是在過生活還是在投資，我們都應該尋找能讓自己減少後悔次數的方法，例如，一定要買進的股票，就要在適當的時機買入。

雖然是老調重彈，但我還是要說，如果在模擬交易時，發現某間企業正好是買入的好時機，那麼，就算必須丟掉其他股票，也要買入該企業的股票。機會來臨時，就應該增加比重，才能獲得很大的報酬。

然而，大多數投資人在機會到來時都會猶豫不決，害自己錯失良機。

財報公布的季度到來時，我就會在 YouTube 上和網友們一起討論如何分析、發掘優質企業，但大多數人還是等到股價大漲時，才跑來我的頻道哀嘆。

就算我分析資料，把數據拿給他們看，他們還是會用各種藉

口，像是「當時沒有錢」、「當時需要其他的東西」，再不然就是「錢被卡在其他股票上了」，用「沒辦法」的口吻來安慰自己。

但是真的沒辦法嗎？他們自己一定清楚，不是這麼一回事，即使是現在這個瞬間，也有一些企業絕對不能錯過。

能夠反映出未來價值、未來業績會大幅進步、將來會大幅擴張事業領域，甚至是多少能稍微反映出未來樣貌的企業，這些公司都能幫助你獲利。事實上，市場中還是有很多能帶來報酬的企業，只是你找不到、認不出而已。

為了找出這些企業，投資人每天都必須努力學習。發掘值得投資的標的，並對該公司培養信心，這個過程其實就是價值投資的精髓。

想要獲利，就不能隨便看待市場上任何企業，連不知從哪傳出的小新聞都不能忽略。在生活中也是，不管是去便利商店、超市或百貨公司，**任何商品都不能隨便略過，得養成將自己關心的事情，與投資的企業連結起來的習慣。**

更進一步的，我們要留心世界和產業變化，持續注意並探究國家在施行什麼政策，以及根據該項政策，社會和產業會產生什麼變化。

不過，實際上，你是不是每天都在後悔？「唉，那支股票昨天應該買的。」、「為什麼今天就是出不了手？」像這樣過著反覆惋嘆的生活。

所以，確實做好分析、選出一定要買進的企業後，就要按自己所想的比重買進，這樣才能感到滿足。至於「哪個企業要買多少」這種問題，則會依你目前的功力而有所差異。

怎麼從新手變高手？標的數要越來越少

若你正持有某些企業的股票，但心裡感到非常不安，那就要減少投資比重，直到心安為止。再不然，就要更深入的學習，讓自己對所持有的股票更具有信心，使自己不會被動搖。

如果自己的能力還不夠，那麼，增加標的數也是一個辦法，等到實力逐漸成熟，有了信心之後，再逐漸減少企業的數量。因為，減少投資標的，才是超越價值投資，朝專業投資人前進的過程，而且標的數較少，也可以減少後悔的次數。總而言之，要持有自己相信的股票，才能獲得大幅報酬。

如果你還在用百貨公司式的投資方式，這邊一點、那邊一點的買下標的，代表你還是股市小白。當然，對新手來說，這種方法也不差，在成為高手之前，標的數較多確實可能更有利，因為對股市的了解還不夠深。

在看新聞時，若無法確實掌握某企業是否和自己持有的標的有關，或是該企業是否會在未來反映出標的之價值，那麼，考慮多方可能性、持有多種企業，也是個不錯的方法。當然，這也不代表你可以亂買，還是要掌握基本數據和任何有利的資料。

在學習投資的過程中，情報和知識也會一點一點的累積，隨著經驗積累，實力也會以複利增長。

當然，一開始要兼顧投資和學習這兩門課，非常辛苦，也常會搞混用語、感到茫然，也可能因為不知道該如何學習，而到處觀望、甚至徬徨失措。

但是，只要持之以恆，就能提升到這樣的水準：「哦？我聽

懂了！怎麼回事，我竟然懂了！」、「現在應該可以聽懂金政煥的課了！以前都不太明白他在說什麼，現在很容易就聽懂了！」

一位 YouTube 訂閱者在我的影片下方留言：「剛開始投資的時候，一位叫超級螞蟻金政煥的人，建議大家去觀察海運股，我便在業績公布季度，將海運股的估值都算了一遍，老實說，我在心裡暗罵『浪費我時間』之後，就把它們擱在一旁。之後，大韓海運暴漲，我才突然想起來，然後再次找出那段講座來看，原來當時海運股中，他對於大韓海運的分析最正面。」

沒錯，那是我當時在影片中說過，最看好的一檔股票，因為它的業績本來就很穩定。等股價暴漲到它應得的價值，才開始後悔的那位網友，最後以這段話作結：「唉，當時要是再更注意講座內容的話就好了……金政煥真的是洞察機先啊！」

事實上，我並不是很會觀察，只是一五一十的為大家說明業績而已，而業績會反映在股價上，讓企業得到應有的價值。除了海運股之外，我也依產業類別看了無數間企業，多方分析資料數據，那些企業之後都怎麼樣了呢？三、四個月後，它們都創下了史上最高的價格。

我的 YouTube 頻道有數十萬名訂閱者，每個講課影片的點閱數都高達數十萬次，在這些人之中，自己親自確認、實際操作投資的人有幾位？應該不多。我會這麼說是因為幾個月後，實際股價大幅上漲時，影片底下大多都是說自己很後悔的留言。

我作為投資前輩，想教導各位該如何減少失誤：不能因為是某個高手持有的企業，就只聽高手的話，盲目的買進。如果只信賴投資導師，毫無想法的交易，實力只會永遠停留在原地。所

以，投資人要努力成長，直到能對自己選擇和持有標的充滿信心為止。

不管是 100 萬韓元還是 10 億韓元，都是自己習慣珍貴的財富，因此不能把它想得太簡單。打好基礎肯定是股市小白的首要之務，請養成習慣，先分析和學習再買入。

投資股票，是為了感受自己分析、學習的內容，反映在企業上的那股滿足感與喜悅，希望你也能成為永不後悔的投資人！

股市蟻神的重點課

如果自己的能力還不夠，那麼，增加企業數量也是一個辦法，等到實力逐漸成熟，有了信心，就必須減少企業數量。減少標的，才是超越價值投資，朝專業投資人邁進的方式。

Q&A 問問看，答答看！

Q：如果是投資新手，必須具備什麼心態？
Q：你認為什麼是後悔？
Q：如果你想買的股票大漲，心情會怎樣？

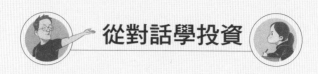

金融市場的歷史和影子政府

我之前說過，美國銀行不屬於美國政府，對吧？

對。

在亞洲，中央銀行屬於政府，在美國或歐洲，銀行則代替政府的角色。聯邦政府銀行的首長們大多數都出身於跨國投資銀行（按：以經營證券業務為主的金融機構），也就代表，在投資銀行工作過的人，可以當聯邦準備理事會（按：簡稱聯準會，等同美國的中央銀行）的主席。

現任主席傑洛姆‧鮑爾（Jerome Powell），和前任主席珍妮特‧葉倫（Janet Yellen）、班‧柏南奇（Ben Bernanke）等人，都曾在證券公司工作過，他們驅動美國的銀行之後，全世界都會跟著動，很可怕吧？

嗯。

但是，還有一個更可怕的事實，就是他們大部分都是猶太人。猶太人不僅在經濟領域，就連在社會和政治、藝術、科學等領域都占領導地位。尤其，他們在經濟領域方面特別優秀，如果要一一舉出推動世界歷史的猶太人，絕對講不完。臉書創辦人馬克‧祖克柏（Mark Zuckerberg）也是其中之

一，他們是如何拉動世界經濟的呢？明明人口也不多。

要準確的找出那個理由，應該很困難吧？

是啊。除此之外，世上有名的望族中，有一個是羅斯柴爾德（Rothschild）家族，這個望族在東方和西方國家擁有的錢，全部加起來肯定是全球第一，世界的金融市場都在他們掌握之中。他們種植製造紅酒的葡萄樹，擁有紅酒莊園，同時還是放債人，也就是把錢借出去後，再收取利息。

他們靠這個方式成為有錢人？

從以前到現在，猶太人能賺這麼多錢，是因為他們懂得把錢借出去，並藉此收取高價利息，是一群很缺德的高利貸業者。在金錢面前，最沒血沒淚的就是猶太人，因為他們是曾經受到極大壓迫的民族，所以很早就明白金錢的力量。為了賺很多錢，他們借錢出去、收取極高利息，藉此累積財富。雖然，在賺錢方面他們是一群天才，但他們一點人情味都沒有，相當冷靜，即使借錢的人處境困難，他們還是會把錢討回來。

羅斯柴爾德家族和洛克斐勒（Rockefeller）家族都屬於猶太裔，除此之外，我們熟知的高盛（Goldman Sachs）、摩根大通（JPMorgan Chase）、摩根史坦利（Morgan Stanley）等跨國投資銀行，全都是猶太人的資本，世上大部分的石油資源，都在他們的掌握之中。

猶太人的特點是，他們不會只擁有一個優勢，如果擁有石油，那麼，和石油相反的環保產業，像是電動車、電池等，他們也會緊抓不放。如果電池技術大大發展，那麼，石油就

沒有價值了，所以他們會兩邊都抓著，讓自己即使失去了一部分籌碼，也不至於破產，這就是投資的方法。

哦～這方法真驚人。

是啊，如果把這也套用在個人身上，假設我現在正在投資石油公司，雖然這間公司現在很穩定，但如果技術出現新突破或是環境發生變化，也有可能倒閉，所以要有反過來也能受益的標的，這樣就算危機到來，也能存活下去。

做事業的人，真的得清楚知道這個方法。

沒錯，推動世界的金錢有三種，猶太裔資本、中國資本及阿拉伯資本。它們的特點就是，都來自家族的連繫，但是在商業方法上，三者完全不同。

舉例來說，猶太人賣東西的時候，會把那個東西分成很多個，然後一個個漂亮的包裝起來再高價賣出；中國人會用便宜的價格，把東西整套賣出去；阿拉伯人則會把東西抓著不放，花很長的時間來賣。所以，猶太人在金融、投資方面很強，中國人則喜歡更實體的報酬，也就是喜歡買地、買房。關於羅斯柴爾德家族和共濟會（Freemasonry，*遍布全球的兄弟會組織*）的資訊，之後你可以自己找來看看。

好。

說起共濟會，就想到這句話：「推動世界的就是共濟會。」共濟會是一種祕密結社組織，也有陰謀論觀點認為，由於該組織由石匠組成，所以組織標誌是量角器和尺，而這個世界，就是這些人創造出來的。

聽起來好難哦。

對 13 歲的小孩來說是有點難，不過，我想表達的是，所有事情都已經決定好了，不管發生什麼事件，背後都有人主導或預謀。

也有陰謀論指稱，世界是由隱藏著的「影子政府」來運轉，聯準會不是美國央行，而是前美國總統約翰・甘迺迪（John F. Kennedy）將其改為代理政府銀行的銀行，這麼一改，人們便懷疑在聯邦準備系統（按：簡稱美聯準，代表整個美國央行體系，聯準會就包含在其中）背後是不是存在著更有影響力的人，並逐漸認為這些幕後推手確實存在。

更有趣的是，以前銀行是高利貸業，所以銀行不用 bank（銀行）這個單字，我們熟知的摩根大通、瑞士信貸（Credit Suisse）等公司使用 credit（信用）這個單字，是因為 bank 對人們來說，有著詐騙的負面形象。當然，在美國，還是有美國銀行（Bank of America）等銀行使用 bank 這個單字。總之，這就是藏在金融歷史背後的故事。

那為什麼在東方會稱作銀行呢？

銀行是由表示金屬的「銀」和表示街道的「行」組成的單字。以前，中國的金融貨幣制度採銀本位，而不是金本位，也就是以銀子為基準，而非金子。所以他們會用銀子換取稻米，然後把銀子借出去。在過去，把做這件事的人們聚集在一起的街道，叫做「銀子的街道」，也就是銀行。

哦！原來如此，真有趣。

對啊，金錢的歷史很有趣吧。知道隱藏在金錢後面的故事和歷史，也是成為有錢人的必備知識之一！

10 超級螞蟻，收盤前 1 小時才下單

前面提到失敗的人擁有的特點，那反過來，成功的投資人有什麼習慣或特點嗎？這些習慣，應該也常常被介紹，那仍有人無法成功的理由是什麼？

成功的投資人在夾帶泡沫的市場裡會小心，在陷入恐懼的市場中，則擁有堅定不移的信念。

——賽斯・卡拉曼

　　為了在股市致富，有各種技巧和習慣，也可說是原則，我會在這邊介紹幾個比較重要的習慣。

　　不過，這邊提到的絕對不是真理，也不一定適用於每個人。不僅僅是股票，在不動產、比特幣等任何領域中，都不存在所謂的真理，因為每個人都會養成屬於自己的習慣。重要的還是在於你能否堅守原則，並將其付諸實行。

　　那麼，我們現在就來看看吧：

1. 真正的致富心態，來自懂得設停損

20 世紀華爾街的天才型投資人伯納德·巴魯克（Bernard Baruch）曾說：「只要能迅速阻止損失，10 次中就算只成功了三、四次，也能賺到大錢。」

這句話很正確。再大的損失，都來自於小損失，如果蒙受巨大損失，就必須永遠離開市場，因此，投資最重要的一點，就是要盡可能減少損失。

交易程式中設定損失限制訂購，也可以減少虧損幅度，如果在每次交易時都設定好，就不需要每分每秒監看交易狀況。換句話說，就算股價出現變動，也會因為不在市場裡，而得以保持平常心。

你也可以銘記巴菲特的原則：「第一，絕對不要賠錢；第二，不要忘記第一個原則。」我們要向投資鬼才借用祕訣，在任何時刻都要努力減少損失。

2. 手續費越低越好

每個月，許多證券公司都會推出各式各樣的活動吸引顧客。如果你覺得自己的手續費特別高，就要確認一下。證券公司之所以收取高額手續費，是因為品牌知名度不同，但我們並不是在投資證券公司的品牌。

不管做什麼事業，只要經費越低，報酬就越高，證券公司的品牌價值並不重要，請盡可能找手續費低的證券公司，在那裡開戶即可。

3. 散戶開盤就起跑，超級螞蟻最後才行動

資本雄厚的超級螞蟻或法人，在開盤（按：台股開盤時間為9 點整，收盤時間為下午 1 點半）後會先觀望市場，如果市場不是那麼活絡，就將股票留給焦急的散戶，悠閒的做其他事情。

等到距離收盤剩不多時間的時候，他們才開始看盤，而且此時他們會發現，大部分盤勢真的如他們所預測的一樣變動。

因為他們有確實做好功課，所以當然能得到很高的報酬。如果要在早上買賣股票，請務必只進行少量交易。當然，這可能讓你錯過進出的時機點，但同時也能幫你養成減少損失的習慣，所以我會推薦新手們在收盤前 1 小時開始買賣。

4. 了解市場的趨勢並跟上趨勢

要了解趨勢真的很不容易，不過我們一定要去嘗試，這是成為成功投資人的必要條件。請每天觀察市場趨勢，只要每天觀察，就能增強預測市場動態及方向的能力。

5. 寫下「買賣日記」，每個月看一次

很多人會將自己的收支一一記錄下來，不過，交易股票時，你也會這樣做嗎？

我認為投資人一定要寫「買賣日記」，並在月底分析自己的買賣紀錄。如果你因為某個錯誤的買賣技巧，不斷蒙受損失，那麼最好預想一下，改用其他技巧來取代時，會出現何種結果。藉由撰寫買賣日記，能看清自己的弱點並凸顯優勢，讓你在股市中更加得心應手。

6. 股價暴跌，別貪小便宜再加碼

原本期待股價會飆升所以買進，沒想到遇上暴跌，這時該怎麼做？正確答案，是按兵不動，堅持原本的計畫，維持停損的價格，在收盤時降低目標價，耐心等待即可。不能為了降低平均單價而逢低加碼、買進更多股票，這只會讓你賠得更快。

畢竟，你現在不也是以同樣的價格持有那支股票嗎？沒有必要再多買，把錢丟進下跌的股票中，該有多可惜啊！

不過，有一個例外，假如我認為我買的是績優股，不管怎麼分析，還是認為目前股價遠低於我認為的估值，那就可以在低價時加碼；不過，過度的逢低加碼會成為致命傷，雖然股市會依照不同狀況而產生變數，但草率的加碼並不是好做法。

 股市蟻神的重點課

為了獲利，我們必須正確的投資——減少虧損、降低手續費、了解市場趨勢並跟上趨勢。另外，請養成記錄每筆買賣的習慣，且不要在股價暴跌時因貪小便宜而加碼。

Q&A 問問看，答答看！

Q：人生中的成功、平凡和失敗，能用什麼標準決定？

Q：巴菲特所說的「絕對不要賠錢」，這句話有什麼意義？

Q：學投資的同時，你能把學習過程像日記一樣記錄下來嗎？

11 | 用一句話來定義
你買那支股票的理由

成功者的特性及他們的投資心理，雖然無法被稱為祕訣，但有沒有一般散戶也能輕鬆學會的特別技巧？

有時候，投資人就是自己最大的敵人。舉例來說，價格持續上漲時，投資人會被貪欲吸引，產生投機心態，不僅會依據樂觀的前景，下十分危險的賭注，甚至會不顧危險的追求報酬；相反的，如果價格持續下跌，就會對賠錢感到恐懼，因此無論基本面如何，只會集中在價格持續暴跌的可能性上。

——賽斯・卡拉曼

　　天下沒有白吃的午餐，我們必須拋棄想要不努力就賺大錢的想法，如果想用閒錢賺進比本業還多的收入，就必須像從事本業一樣努力。雖然一開始很辛苦，但只要慢慢累積知識，能力也會變得越來越強。以下為 11 項超級螞蟻都善用的原則：

1. 投資重要的不是速度，而是方向

大多數投資人都會感到焦急，但倘若你持有績優股，只要市場狀況變好，錢自然會滾進來。如果只知道關注熱門股，那麼，當初下定決心建立的投資哲學就會消失得無影無蹤，漸漸失去理性，最後發現自己變成賭徒。

如果自己無法理解，那就不要投資，若不打算努力的話，當初乾脆就不要進場。雖然跟風買股可以搭上順風車，但也不代表整趟旅程你會安然無事。要記住，即使速度緩慢，只要安全的走，仍會離目標越來越近。我們應該要買入能保障未來收入的股票，為未來做最好的打算。

2. 預測越準確，越應該持續修正

我們應該預測企業的發展階段，藉此修正自己的估值，並追蹤該公司正在發展的新事業，反覆預測、修正該事業的價值，這就是投資。我們不能期待成功者為我們寫出正確答案，我到現在還是不斷的修改答案，各位也一樣，直到按下賣出鍵的那個瞬間為止，都要修改答案。

3. 懂得和企業內部人士一樣多

如果持有一間公司的股票，那你就必須把自己當成公司內部人士，要懂得和他們的員工一樣多，就算是再小的事情，也要抱著懷疑的態度反覆提問。

價值投資並非什麼都不了解，盲目的抱著績優股不動，其真諦在於一字不漏、仔細的閱讀關於買進企業的資訊，不能只在買

進股票之前追蹤,買進後更要密切關注。

另外,投資人對企業的認知,必須和主力不相上下。和內部人士有關聯的主力,不會在短期內一決勝負,他們會花幾年的時間準備,然後經過幾年才放下該企業;他們會使用數百個帳戶,為了不被追蹤到 IP 位置,安裝各種裝置,每天確定數量,展開策略以搜刮股數。

他們還會將前景看好的消息散播出去,然後悄然脫手,由於他們什麼都知道,就能在股市演出暴漲暴跌的戲碼。

主力是在洗盤(按:促使股價下跌,誘導散戶認賠的行為;散戶害怕股市下跌,會將股票低價賣出,這時主力就以低價買進,湊齊一定數量的股數,再正式推升股價)還是出貨(按:將股價抬高至一定程度後,只要認為已經達到目標價,就拋售自己持有的股份),除非是內部人士,不然實在難以得知,因此,我們要投資可預測及可評估的股票。

巴菲特說過,最棒的價值投資人,會抱著經營一間公司的老闆心態來投資。

對公司最了解的人,能獲得最大的報酬,若你不是內部人士,那就要努力讓自己的想法和他們一致,獲得和他們一樣多的情報,如此一來,才能得到和他們一樣多的報酬。只憑藉對股票盲目的信賴和不完整的情報,無法創造報酬。

4. 用一句話來定義買那支股票的理由

為了存活下來,我們必須徹底準備,畢竟投資需要分析諸多情報的能力,你還必須決定該用多少錢買多少股。

請銘記，努力和報酬率是成正比的，若是選定了一支股票，就要深入研究它。

即便看起來速度緩慢，但只要集中投資，就能讓你在幾天內創造出幾年的報酬，所以，你一定要不斷深入研究，直到所有讓你感到疑惑的地方消失得無影無蹤。

想獲得財務自由，前後其實只要成功投資 10 檔股票就夠了，所以，我們要成為長時間觀望股價的明智投資人，而不是每天盯著股價看的投資人，如此不斷觀察產業和企業的同時，還必須保持冷靜。

雖然大多數散戶在選股時，都知道要深思熟慮，但很多人買入之後就放著不管。

價值投資雖然是一場長期戰爭，但這不代表你能將股票放著不管；即使過程很痛苦，你也要張大眼睛追蹤到底，如果在這個過程中，你改變了挑選股票的基本哲學，那就應該毫不留情的賣出股票。

5. 用低價買進，抱緊處理

股市非常冷酷，由於政府、媒體、證券分析師、大戶等主力都在同一隊，因此，散戶絕對贏不了他們。所以，低價買進、花時間抱住，只有這麼做才能贏過主力。

一般散戶之所以能在市場中生存下去，主要的原因是資金較少，只要我們好好利用自己不多的本金，看準時間買進、抱住、賣出，就算股價大跌，仍不至於落至太嚴重的下場。若無法控制市場，就配合市場並充分利用主力的運作方向。

6. 股市不理性，才是正常發揮，要隨時準備

如果真的想靠股票獲得很高的報酬，那就要做好充分的準備；機會上門時，想從容應對，必須先做好功課。為此，你必須閱讀大量文章，看新聞時，要確認與你投資的公司業務相關的重要消息，再小的議題都不能放過，因為議題背後可能隱藏著關於那支股票的重要資訊。要閱讀所有相關文章、掌握世界變化，並將這些內容應用在投資上。

不過，我們不可能準確的預測市場動向，因為股市並不是理性的，所以不可能預測短時間內的變化；因此，危機來臨時，最重要的是你應該怎麼應對，要記得，賣出時，你要有充分的理由和對策。

7. 讀財報、看新聞，找出企業護城河

所謂找出看不到的東西，是指去了解一間公司擁有的事業、技術、市場行銷和護城河，也就是說，你要能看得廣、看得深。不管你的選股方式是由上而下還是由下而上，都要努力讓自己看得到、摸得到各種資訊。

比起看不見的東西，你應該要去觸摸容易看到的東西。為了看得廣，就要持續讀財報；為了看得深，則要注意產業和企業的變化，另外，我們要看的是常數而不是變數，常數指的是營收、市場占有率、資產價值和護城河等，只要常數不變，投資標的就不會有所變化。

很多人認為變數比常數更重要，**但投資要看的其實是常數，而不是變數。**

8. 無論如何，絕對要用便宜的價格買進

很多人都是在股票價格上漲時，才覺得某支股票看起來很優秀。但，我們必須具備在股價便宜時，就能看出好股票的能力，因為**任何人都能看到的好標的，預期報酬率非常小**。

如果你想用便宜的價格買下好股票，就得比別人更辛勤，還得訂立你自己的投資計畫。股價便宜時沒有信心購買，有信心時股價已經變貴，等到全世界 50％的人們都知道這支標的時，自己才知道，這時想加大投資比重已經太晚了。高手和菜鳥的差別，就在這麼一點點的差異。

你知道現在還有很多在低點的股票可以買嗎？還是說，你正持有那些股票？你的資金是否被較不優質的標的套牢了？還有其他想買的標的嗎？

找出讓你祈禱隔天繼續下跌的股票吧！如果你會祈禱持股明天股價下跌，代表你已經是一名高手了！

9. 創造出屬於你自己的一記重擊

如果把市場中的每支股票都買進一點，那你就會成為百貨公司式的投資人，這並不是一件好事，在學習股票投資的過程中，我們必須努力減少標的數。

首先，將想買入的股票從第一名排到最後一名，並根據這個排名投入比重，然後依股價調整。

大多數投資人在分析企業時，對任何股票都沒有信心，也有人在無法全盤了解的情況下就買入股票，甚至完全不去了解，就直接投資。

為什麼要集中投資？原因在於找不到更好的股票。如果有報酬更高、更安全、更便宜的股票，那麼，現在持有的股票隨時都能拋售。

但是，由於要仔細了解一間公司，就必須花上很長一段時間，因此，轉移目標也不是一件簡單的事，因此，請不要到處張望，而是集中研究，創造屬於自己的一記重擊。

股市裡，有大量不平等的情報，自己在判斷時，如果那個情報就算錯了，也不會產生很大損失，就可以繼續抱著；相反的，如果該情報會造成你的損失，那就要冷靜的離開。

要隨時掌握企業現況，當你對該情報產生信心時，就增加投資比重。勝負取決於你有多少信心，以及將投資比重放在哪個標的上。

10. 投資股票，最重要的就是初衷

許多投資人口口聲聲說：「我現在先賣出，之後再買回來就好了。」不過，股票是不會等人的，想成為超級螞蟻，不管外面趨勢如何，你都要穩如泰山。

投資宛如一場馬拉松，其中最重要的準則，就是調整心態。超級螞蟻也不輕鬆，他們和普通散戶一樣，一邊認賠，一邊堅持著，他們比散戶厲害的地方，在於他們知道堅持下去的方法。

如果一開始衝太快，反而會成為在長跑中被淘汰的那個人；反之，躲在領跑（主力、大戶）的人後面，輕鬆避開風阻，在看得到前方選手的腳後跟的距離奔跑，才是正確的方法。

價值投資的最需要的就是堅持，當然，保持信心和堅定的態

度並不容易，尤其還是新手的時候，真的會感到很茫然，所以才要閱讀高手寫下的文章，或是聆聽他們的想法，從他們那裡得到幫助，就像是吃下定心丸一樣，藉此堅持下去。

11. 可以對市場感到恐懼，但不能不敢行動

在拳擊場上，你可以防禦，但眼睛仍要注視著對方；可以咒罵對方的小手段，但不能失去冷靜，即使從評審那邊得到了不利的判決，也要平心靜氣的接受，不能放棄比賽；就算採取防守姿勢，也要趕快找到空檔，伸出你的拳頭。

在投資的擂臺上，也是一樣的道理。首先，我們不能感到疲憊，只要對手比你更快感到疲憊，機會就落在你的手中，而想讓自己撐得久，需要意志力，也需要徹底分析手上的股票。

市場裡不少投資者會成為冤大頭，都是自作自受。所謂股市裡的冤大頭，是只要別人說出股價很便宜、之後會上漲、情況好轉了、誰也買了這支股票、線圖走勢變好了、法人和外資買進等消息，就會立刻跟進的人。

在熊市，我們必須果斷的減少投資標的數量，用最安全、預期報酬最高的股票來設定停損，然後果斷的交易。不能因為市場整體下跌就失魂愣在那裡，而應該迅速砍掉要賣出的股票，預計買入的股票則要延緩時機，慢慢買入。

不要只看著變動的股價數字，我們要把視線放在企業上。持有優良企業、長久持有並等待賣出訊號，並和這些企業一起變富有吧！

股市蟻神的重點課

我們必須成為公司的夥伴，要和內部人士一樣對企業瞭如指掌，就算是再小的事情，也要抱著懷疑繼續提問。所謂價值投資，就是必須一字不漏、仔細閱讀關於該企業的資訊，不只是在買進股票之前追蹤，買進後更要密切關注。

Q&A　問問看，答答看！

Q：你有感興趣的企業嗎？

Q：那間企業是做什麼的？

Q：你認為那間企業日後會如何發展？要不要繼續關注？

第三章

進場前，
你一定要知道的基礎概念

1 | 漲停、跌停,買空、賣空

上市公司跟未上市公司有什麼不一樣?已經上市的公司,某種程度上可以視為穩定的企業,那這種企業還有可能倒閉嗎?

懂得明確分辨市場具備的形象與事實之間的差異,同時抱持著耐心的投資人,才是會賺錢的投資人。

——菲利普・費雪

　　在美國股市,並沒有單日上漲和下跌的幅度限制。理論上,美股一天可能上漲 1,000%,舉例來說,在 2020 年 3 月 25 日,於美國那斯達克上市的醫療服務企業 IMAC Holdings,僅在一天內就從最低點 0.42 美元,一路上升到盤中最高點的 7.21 美元,最後以 4.95 美元的價格,也就是 1,000% 的驚人漲幅收盤。

　　不過,實際上這種事情幾乎不可能發生。比方說,像韓國股市本身有漲停板和跌停板(見下頁圖表 3-1),限制股票的漲幅,讓股票在一天中不能上漲超過一定百分比。過去上限是 15%,

而現在是 30%，也就是說，若某檔股票在前一天，以 1 萬韓元收盤，那麼，今天最高就只能上漲到 1.3 萬韓元。

跌停板也限制著股票的跌幅，它讓股票不得掉到一定水準以下，在韓國漲跌幅限制皆為 30%，所以前一天收盤價為 1 萬韓元的股票，隔天最低只能下滑到 7,000 韓元。漲停板防止投機，跌停板則有著保護股東們的作用。

所謂的股票市場，就是透過證券交易所來買賣交易的市場。若想在證券交易所交易，就必須在股票市場上市，以下為一些關於上市的基本知識：

1. 上市

上市，就是允許股份有限公司發行的股票在證券市場上交易，讓投資人在公開市場裡買入與賣出。企業若想在股票市場上市，就必須得到證券交易所的認可，交易所會使用複雜繁瑣的審核標準，來判定企業是否達標，並予以同意（按：除了上市，臺灣還有上櫃與興櫃，其掛牌條件較上市低，興櫃股票之後可以上櫃或上市，上櫃股票則可轉上市）。

圖表 3-1　台股漲停板和跌停板

在看盤軟體上，有時候能發現一些公司股票的成交價被「反白」，就代表該支股票已經漲停板或跌停板。臺灣證券交易所於 2015 年 6 月 1 日起，將漲跌幅度從 7% 放寬至 10%，代表在一天之內，任何股票只能漲 10% 或跌 10%。

2. IPO

IPO 是首次公開發行的縮寫，也可解釋為首次公開募股，代表企業在上市前，第一次將股份向公眾出售；公司需要決定欲發行的股票數量，然後投資銀行將根據其預估需求，建議一個初始股價。

最近因科技迅速發達，各式各樣公開募股的創投企業也隨之增加，市場中正在形成一股新活力，以及利用股票來投資企業的新文化。

3. 公司上市的好處

企業之所以要上市，是因為作為上市企業，可以享有很多好處，請見以下 8 點：

- 在 IPO 階段，利用募集新股票來獲取大規模的資金，可以將資金運用在新增投資、併購資金或營運資金上。
- 上市後，可藉由現金增資或發行公司債券等方法，透過證券市場，讓持續募集資金變得更容易。
- 較容易利用公司分割或合併、股票交換和轉換等，朝符合經營策略的方向進行公司重組。
- 提高企業信賴度，作為上市公司，對外的品牌認知度將大幅提升。
- 在上市階段，優先分配公募（按：普通投資者公開募集資金的方式）股份給員工，可以激勵員工們的士氣。
- 賦予「員工認股權」（按：員工須達到特定指標，才能獲得認股的權利），或將業主的股票分出去，達到以補償提

155

升向心力與士氣。

- 投資並承擔公司創社初期風險的股東們，可藉公司上市獲得資本報酬。

- 上市企業的股東們，在股票交易過程中有享受稅金優惠的好處。（按：自 2021 年 1 月 1 日起，臺灣恢復個人未上市、未上櫃且未登錄興櫃股票〔未上櫃、未上市的股票〕交易所得計入個人基本所得額，需繳交基本所得稅）。

臺灣用的加權指數是什麼？

我們很常聽到的「台股大盤」是一種股價指數，名為加權股價指數（TAIEX）；臺灣證券交易所採用「柏謝加權算式」（Paasche Formula），加權股價指數是反映整體市場股票價值變動的指標，以上市股票之市值當作權數來計算，採樣樣本為所有掛牌交易中的普通股，初上市股票與全額交割股（按：最近一次公告的財務報表每股淨值低於 5 元，或是沒有在規定期間內公告每季財報）除外。

其計算公式為「發行量加權股價指數 ＝（當期總發行市值／基值）× 基期指數」。台股大盤以 1966 年為基期，基期指數設為 100，所以計算方式為：

加權股價指數＝比較日的市值／基準日的市值 ×100

簡單概括來説，加權指數是反映市場上組成股票價值的一種數據，也被視為呈現臺灣經濟走向的櫥窗，因為這個指數能作為比較股票、基金等商品之間報酬率的基準，亦能當作預測經濟成長及發展可能性的指標。

借股票的理由是為了賣空

偶爾，證券市場會出現一股聲浪，當股市呈跌勢，市場就會出現這種消息：「外資賣空導致股價下跌，融券庫存正在增加，未來放空情況還會更多。」我們一定要知道什麼是賣空、融券和融券庫存。

首先，我們先來看看什麼是融券庫存。若在新聞中看到「融券庫存正在增加」這句話，可以簡單解釋為借股票的人增加，而借來的股票則可以用在賣空等目的上。

融券交易是向券商借股票來賣，將來再買進股票還給券商，是一種先賣後買的交易方式。

把借來的股票賣出後，若是價格下跌，借券人就會再次重新買入該支股票，以賺取價差。償還時間通常是一年（按：臺灣融券賣出股票期限為半年，到期時可再延半年，但幾乎不太可能持有超過一年，因為上市公司每年都會召開股東會，並確認誰持有股票，由於融券不代表實際持有，而是和證券公司借的，所以上市公司有權要求你買進該融券，強制回補）。

　　那究竟什麼是賣空？散戶沒有必要連複雜的投資規則都詳細理解，知道概念和大框架就夠了。簡單來說，當投資人認為某檔股票價格會下跌時，就向證券商借股票，並在市場上賣出；等之後股價下跌，你就可以用更低的價格償還當初借的股票，藉此賺取價差。

　　舉例來說，如果你預期日後股價會下滑，那麼，現在向券商借 1 萬韓元的股票，並在市場中賣出。到了該償還股票那天，股價跌至 5,000 韓元，這時，你就能再次用 5,000 韓元的價格買下這檔股票來償還，剩下的 5,000 韓元，則成為賣空的獲利。

　　如果情況相反，不跌反漲？這時，賣空的投資人當然會蒙受

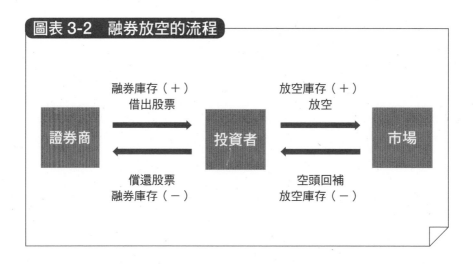

圖表 3-2　融券放空的流程

融券庫存（＋）
借出股票

放空庫存（＋）
放空

證券商　　　投資者　　　市場

償還股票
融券庫存（－）

空頭回補
放空庫存（－）

虧損，因此，融券庫存增加，意味著投資人很可能會馬上將借來的股票拋售。

　　日後遇到這個情況，你就能自然的預想到，打算賣空的投資

人會想辦法讓股價下跌，這樣他們才能獲利。身為新手，即便只知道這些，在觀察股價時，也能夠充分理解！

 股市蟻神的重點課

　　加權指數可以作為比較股票、基金等商品之間報酬率的基準，亦能當作預測經濟成長及發展可能性的指標。

Q&A **問問看，答答看！**

Q：你聽過台股大盤嗎？
Q：你知道為什麼股票會上漲跟下跌嗎？用股票賺錢確切來説是怎麼賺？

2 | 抗通膨最好的方法，存股

股價指數每天都在變動，每支股票都會受其影響嗎？股價指數上漲的話，我的股票也會跟著上漲嗎？

我們喜歡在悲觀的環境中交易，不是因為偏好悲觀的情緒，而是因為喜歡悲觀的環境造成的股價。

——華倫‧巴菲特

有什麼因素會使加權股價指數不斷上漲？企業又會如何受到影響？基本上，加權指數會受經濟成長率與通貨膨脹率影響（按：每個國家的 GDP 都是經濟和發展水準的重要指標，因此也是衡量股市基本面最重要的綜合性指標，進而影響大盤）。

每個國家最害怕的事情，是通貨緊縮。所謂通貨緊縮，是表示物價持續下跌的經濟用語。倘若股價指數下跌，可能會造成內需經濟崩潰，反之，經濟成長率降低或經濟狀況不好，也會使股價下滑。

股價和經濟會互相影響，因此，國家除了要刺激消費之外，

還需要不斷研究並施行政策，藉此穩定物價，同時讓股價上升。

因為這樣的相互關係，企業像生物一樣不斷成長變化，依據自身價值受到股市評價。由於經濟成長率和物價上漲率持續以倍數增加，股票也不斷上漲。這就是為什麼以長期來看，股市最後呈上漲趨勢，也是複利的魔法。

企業總是想維持利潤，如果 100 元中的利潤是 5 元，我們將本益比設為 10 倍，那麼，將 5 元的利潤乘以 10 得到 50 元，就是該企業的市值。照這個方式整理，我們可以得到以下算式：

市值＝稅後淨利×本益比（乘數）

但是因物價上漲，市值會隨著時間推移往上升。當價格是 100 元時，獲利 5％的公司市值是 5 元乘以 10 倍所得出的 50 元；但當價格上升到 1,000 元時，其市值就是 50 元乘上 10 倍所得出的 500 元。也就是說，光是物價上升，市值就能上漲 10 倍。像這樣，股價指數不僅反映企業的個別業績，也反映經濟成長率和通貨膨脹率。

不管是哪個企業，都不能單一經營。企業要在市場競爭下存活，就必須不斷的思考、變化，雖然他們會為了追求利潤而試圖提升價格，但還是會不斷開發及推出新產品。

如此一來，企業的利潤會增加，然後他們會用那份利潤投資，藉此提升企業的估值和市值。這樣的循環延續下去，企業就會持續發展下去。

通膨使物價上升，通縮讓物價下跌

通貨膨脹指的是整體物價上升，主要發生在需求大於供給的時候，這是經濟成長的過程中時常發生的現象。

通貨膨脹可分成兩種，第一種是成本推動的通貨膨脹，原因是原物料價格、工資等生產成本上升，由於 GDP（國民生產毛額）會隨著物價上漲而下跌，導致景氣停滯。

第二種，則是管理價格（按：由企業內部定價方式所設定的商品價格）的通貨膨脹。

會造成的此一現象的，是獨占企業的托拉斯（Trust，透過生產企業間的收購、合併以及託管等形式，由一家公司兼併、包容、控股大量同行業企業，來達到企業一體化的壟斷形式）或卡特爾（Cartel，又稱獨占聯盟，為了避免過度競爭導致整體利益下跌，由一系列生產類似產品的企業組成的聯盟）。

前面提到的通貨緊縮，概念與通貨膨脹相反，是指整體物價下跌。通貨緊縮時，會有更多企業倒閉，企業活動會停滯、生產萎縮、失業人數增加。

另外，隨著工資支付延期、未支付等經營惡化現象發生，也會出現中小企業被大企業吸收的情況，換句話說，在這個時期，只有強者才能勉強存活，獨霸萎縮的市場。

另外，惡性通貨膨脹（hyperinflation）指的是在短期內發生的物價暴漲現象，主要發生於大規模自然災害期間或戰後，當生產系統崩潰，無法滿足需求的時候。

至於停滯性通貨膨脹（stagflation），則是由 stagnation（經

濟停滯）和 inflation（通貨膨脹）組成的詞彙，意指即使景氣停滯，物價還是上漲的現象，例如，在經濟不景氣的情況下，隨著石油價格暴漲，原物料價格也隨之上漲，使物價持續上升。

 ## 股市蟻神的重點課

　　企業像生物一樣會不斷成長變化，依據自身價值受到股市評價。由於經濟成長率和物價上漲率持續以倍數增加，股票也不斷上漲，這就是為什麼以長期來看，股市最後呈上漲趨勢。

Q&A 問問看，答答看！

Q：你知道什麼是通貨膨脹嗎？物價為什麼會上漲？

Q：通貨緊縮是好事還是壞事？

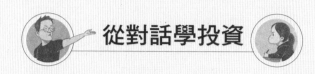

通貨膨脹，讓你越省越虧

今天和爸爸一起做紫菜飯捲，感覺怎麼樣？

很有趣，看到別人吃我包的紫菜飯捲，我覺得很開心。

真的啊？如果金秀賢（按：韓國知名演員）要你幫他包一個紫菜飯捲呢？

我當然會馬上做一個最好吃的給他。

你只在電視上看過金秀賢，這樣你也信任他這個人嗎？

對啊。

我在講座上談過價值股、成長股和配息股，假設金秀賢是一檔股票，你覺得他屬於哪一種？

嗯……都是。

原來如此！金秀賢具有價值，所以當然也能配息，你覺得他也具有成長性？

對。

哇，他什麼都具備了！但是，這種好股票肯定很多人競爭，如果有人想要選擇金秀賢這檔股票的話，會需要什麼？

這問題真難。

如果想要選擇金秀賢，就應該相對的提升自己的價值。

這件事應該不容易。

沒錯，不過這並非不可能。我們在之前的對話中學過 4 個重要的原則：買有安全邊際的企業、不要賠太多錢、要買得便宜、必須懂得估值，掌握這些原則就可以提高自己的價值，不過，今天的主題是什麼？

《投資心智》中提到，想賺錢，有兩個選擇，第一個是持續不斷的存錢，第二個是交給經理人處理，也就是交給資產管理專家。

持續不斷的存錢，就是儲蓄，不過儲蓄能賺錢嗎？

不能。

為什麼？

因為只是把錢累積在那裡而已。

理由是什麼？書裡應該有出現一個很重要的單字？

啊！是通貨膨脹。

對！錢需要到處流動，國家經濟才會成長，現在因為新冠病毒，全世界的經濟成長率呈負值，在 2020 年的第 2 季，美國暴跌 32%，韓國則下滑 3%。韓國被影響得沒有這麼多，因為錢還是稍微有在流動。儘管如此，國家還是投入更多的錢。所謂通貨膨脹，就是因為有很多人要買東西，所以物價才會上漲；相反的，所謂的通貨緊縮，就是沒有人要買，所以物價下跌，到這邊還懂嗎？

嗯。

要出現通貨膨脹，金錢才會流動，這就好比在氣球裡面放熱風，氣球就會膨脹一樣。只是，不能讓它一下子爆炸，得用

一定的速度慢慢上升，經濟成長率才會跟著變好。

委內瑞拉和巴西就是因為通貨膨脹太快速，導致貨幣價值暴跌，所以就算拿很多錢出來，也買不了什麼東西，這叫惡性通貨膨脹。但是，現在因疫情影響，讓我們處於通貨緊縮的狀態，也就是人們拿著錢、卻不消費，舉例來說，你最近不也只待在家裡嗎？

對。

這就是通貨緊縮，市場應該要緩慢出現通貨膨脹，經濟才會發展。你有沒有聽過經濟大蕭條？

沒有。

在 1929 年，美國曾遭遇過一次巨大的經濟危機，股價突然暴跌，成長率在一年內下跌 57％，等於出現了惡性通貨膨脹。當時的美國總統富蘭克林・羅斯福（Franklin D. Roosevelt，小羅斯福）施行羅斯福新政（New Deal），由政府建水壩、開發田納西河流域，投入了大筆預算，僅在 2 年內就成功活絡經濟。

韓國也發表過新政——數位新政和綠色新政，表示政府將集中投資在某些領域，藉此刺激經濟。

但是，如果你把錢囤在銀行裡，就滾動不了，因為銀行利息不到 1％，通貨膨脹卻在一年內超過 1％。也就是說，假如你想買的手機原本是 100 萬韓元，但因為通貨膨脹，馬上就漲到 120 萬韓元，我放在銀行裡的 100 萬韓元則毫無動靜，仍然是 100 萬韓元。

竟然會這樣！

所以，在現在這個年代，如果只是把錢放著，它就會不斷減少，我們必須靠投資讓錢增加。問題是，我要自己投資，還是要把錢交給其他人，讓他們幫我操作？你會怎麼選擇？

這個問題我要想一下。

是啊，很難馬上回答。就像書裡的主角一樣，大多數人對投資都不太了解，這是因為就算你功課再好，也很難接觸到關於投資的知識。書中那位爸爸，要女兒別把錢放在銀行，叫她託付給專家，反過來說，如果你能賺得比專家還多，也可以直接投資。總之，重點在於要把錢像雪球一樣越滾越大，不能只靠儲蓄。

富蘭克林曾說：「省一分錢就是賺一分錢。」現在如果跟著這句話做，會變怎樣？

以前把錢存在銀行可以賺到 10% 以上的利息，這句話就表示只要放個 8 年不動，我的錢就能夠自動成為原來的 2 倍，但現在利息連 1% 都不到。最近韓國出現「東學螞蟻」（按：見到外國投資者大量拋售韓國股票，反而大舉買入的韓國散戶）一詞，你有聽過嗎？年輕人再也不將錢保管在銀行，而想直接投資。

嗯。

這樣做是對的，但如果要這麼做，就必須練習，就像你現在努力的跟爸爸學習一樣，你還有其他問題嗎？

書裡面一直出現通貨膨脹，爸爸有經歷過通貨膨脹嗎？

我小時候是高通貨膨脹走向低通貨膨脹的時代，韓國經濟成長率大約是 10%。

真的嗎？

從全世界來看，韓國當時是個成長非常迅速的國家，隨著經濟起飛，通貨膨脹程度也一起上升。但是因為經濟成長也高，所以沒什麼問題。現在美國 Fed……對了，你知道什麼是 Fed 嗎？

嗯……我好像聽過。

Fed 就是聯準會的英文縮寫，不用大寫的 FED，而是寫成Fed，相當於國家中央銀行，會調整全球的利率和貨幣量。大部分的人都以為聯準會是美國政府機關，但其實並非如此，它只是代替政府機關的角色。

聯準會主席鮑爾已經宣布未來會維持低利率，意思就是要大家去跟銀行借錢，投資較高風險的地方，所以現在才有這麼多人在投資，投資方法也很多樣。他會這麼做，是為了讓錢在市場上流通，這就叫做引水。

引水？

對，你有看過抽水幫浦嗎？

有，學校帶我們去探訪歷史景點的時候有看過。

使用幫浦前，一開始要先放一點水進去，接著水才會流出來，而前面放的那一點水就叫做引水。政府發放災難支援金就是在實施引水政策，為了讓錢可以流動。

原來是這樣。如果要讓錢增加的話，除了這本書裡寫的方法以外，你還會怎麼做？

如果一開始沒有學習的話，那就只能交給專家處理。另外，自己還要準備一桶金慢慢投資，除此之外，最重要的還是要

努力鑽研投資知識。

👧 總之，還是要認真學習囉？

🧑 沒錯，而且不只是投資，無論想在哪個領域成功，認真學習
都不可或缺。現在最基礎的部分已經結束了，下一次我們再
聊一些更具體的知識，你說怎麼樣？

👧 好～我也要來練習了。

3 | 現在還能進場嗎？
看景氣循環 4 階段

世界股市是連成一體的嗎？美國股市上漲的話，全世界的行情都會受到影響嗎？

股票投資的成功，不會受祕密公式、電腦程式、股票和股市價格發出的信號左右；相反的，成功投資人具備不被股市支配的思維和行動方式。除此之外，取得成功的會是具有傑出判斷能力的投資者。

——華倫・巴菲特

　　景氣會對股價帶來什麼影響？我們常在新聞或報紙上看到「景氣好」或「景氣惡化了」的報導。

　　景氣主要透過經濟活動的動向來掌握，舉例來說，企業為了提高生產力，會選擇擴大工廠設備或增加雇員，在這種情況下，我們就會說景氣很好；反之，勞資糾紛頻發，導致生產中斷，或是失業率上升，造成就業困難、產品銷售不佳等狀況，就會說是景氣惡化。

　　如下頁圖表 3-3 所示，經濟活動活躍、景氣復甦的話，最後

就會來到景氣高點；之後經濟活動會再次放緩，然後經濟衰退，最後來到低點，這叫做景氣循環。

　　景氣循環可以分成 4 個階段，擴張期能再分為復甦期和繁榮期；收縮期則可再分為衰退期和蕭條期。另外，從景氣復甦期的後期開始，一直到衰退期的這段期間，可被劃分為繁榮期；而從景氣衰退期的後半段開始一直到復甦期的前半段，則可劃分為蕭條期。

　　這樣的市場景氣和股價有著密切的關係，在景氣出現變動之前，股價就已經反映市場狀況。通常，證券市場的動態會比景氣更早變化，也就是在實體經濟達到最高點之前，股市會先反映市場狀況，所以股價會先出現在最高點。

　　另外，如果實體經濟狀況惡化後逐漸好轉，那麼，股價就會呈上漲局面。然而，股價並非永遠走在景氣前頭，因為股價不僅會受實體經濟影響，還有其他各種因素。

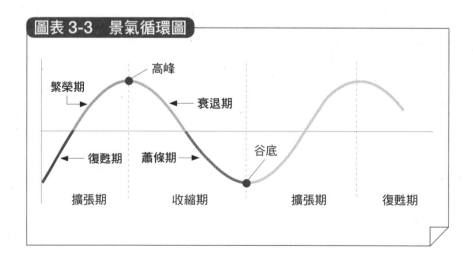

圖表 3-3　景氣循環圖

　　將景氣狀態指標化的景氣綜合指數（Composite Indexes of Business Indicators，簡稱 CI，用於預測未來幾個月的世界經濟動向，企業和投資者可以利用該指數，根據景氣預測來制定活動計畫，保護自己免受景氣停滯影響），將經濟分為生產、消費、雇用、金融、貿易、投資等部分，然後從每一部門的指標中，選出最能反映經濟的個別指標，依反映景氣的速度，可分為領先指標、同時指標和落後指標。

　　趨勢分析的主要理論中，有一個道氏理論（Dow Theory，見圖表 3-4）。根據道氏理論所述，股價趨勢可分為三種：每天看到波動的短期趨勢、通常持續 3 週到數個月的中期趨勢，以及經過 1 到 10 年、呈現長期走勢的長期趨勢。

　　另外，新的中期趨勢之低點若高於之前的低點，那長期趨勢就會進入上升局面；新的中期趨勢之最高點，若無法更新長期趨勢的最高點紀錄，那長期趨勢就會呈下滑局面。

圖表 3-4　什麼是道氏理論？

　　以技術來分析股價波動和股市趨勢的理論，起源於 1882 年共同創立道瓊公司（Dow Jones & Company），並首創道瓊工業平均指數這一全球股價指數的查爾斯・道（Charles Dow），而道氏理論一直是預測股價的技術性分析開端。假設基本上，股價只要先抓住一個方向，以慣性來講，這個方向都會一直保持下去，直到此趨勢減弱，出現往反方向轉換的信號。該理論的核心，在於股市並非隨機移動，而是受週期性趨勢影響，使平均股價概念反映整體股價趨勢。

　　從價值投資的立場來看，掌握長期趨勢最為重要。趨勢走向和市場情況有關，可分成以下幾種階段，請參考圖表 3-5：

1. 收購階段

　　牛市初期有一個特點，那就是，不僅是整體經濟和市場條件，連企業環境都還無法恢復，人們對未來前景感到黯淡。大多數對此感到失望的散戶，因為對熊市感到厭倦，所以只要出現買方，就會立刻拋售。

　　與此相反，預先察覺市場內外條件即將好轉的專業投資人，則會買入散戶拋售的股票，而隨著專業投資人掀起這一波操作，交易量逐漸增加。

2. 上升階段

　　在牛市的第二階段中，整體經濟條件及企業的營業收入好

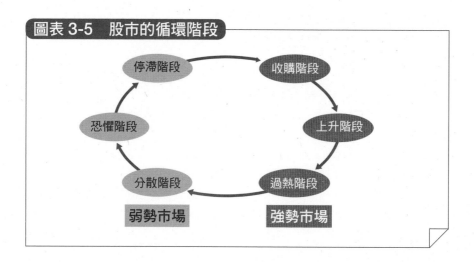

圖表 3-5　股市的循環階段

停滯階段　收購階段

恐懼階段　上升階段

分散階段　過熱階段

弱勢市場　強勢市場

轉，一般投資者們對市場的關注度高漲，這時股價上升，交易量也持續增加。在這個情況下，利用技術分析的投資人獲利最大。

3. 過熱階段

在牛市的第三階段中，整體經濟和企業收入皆呈上漲走勢，證券市場也出現過熱跡象。通常，沒有投資經驗的人會在這時產生信心、積極買進，不過買方常會虧損，務必要小心。

4. 分散階段

於先前牛市第三階段中察覺到市場過熱的高手，會在分散階段獲利並出場。在此階段，股價就算只是稍微下跌一些，交易量就會增加。

5. 恐懼階段

隨著經濟和企業收入等情況變差，散戶們會急於賣出股票，但因為通常都買超（按：當日買進數量或金額，超過賣出數量或金額）的主力相對大幅萎縮，股價直線下跌，同時也會出現交易量驟減的現象。

6. 停滯階段

該階段的特點是，在恐懼階段來不及拋售的散戶們，他們因為失望而賣出的股票流入市場，使市場產生大量拋售的現象。股價雖然不斷下跌，但時間過得越久，跌幅就會越來越小。

想搶先別人買進績優股？請關注國際局勢

以下文章是我於 2020 年 7 月在 YouTube 播出的內容，這裡談論了以美國和中國為代表的全球貿易戰，會為我們帶來什麼影響。美國總統換人了，我們也應該根據這個變化，努力尋找並研究日後國際局勢和經濟方向將如何轉變。

市場已經在行動了，請不要成為每次都在後頭追趕的螞蟻散戶，而要成為總是提前預測並搶得先機的投資者，請各位務必要嚐嚐那份喜悅。

中美貿易戰：川普引發的貿易戰給股市帶來的影響

唐納・川普（Donald Trump，任期為 2017 年～ 2021 年）在中期選舉[1]前扣下貿易戰的扳機。他為了爭取自己受眾的選票，也就是在鐵鏽地帶[2]的貧窮白人的支持，提出自由貿易協定與鋼鐵關稅等。

川普的邏輯很簡單，若本國產業不斷出現赤字，那是不合理的，而自己將採取一切手段來阻止這件事發生。我認為川普會這麼做，是因為他盤算過美國已經出現了巨額的貿易赤字，在這場貿易全面戰中沒什麼好損失的。川普若是在中期選舉失敗，他甚至有可能遭到彈劾，出於這種危機感，他才打了這張爛牌。

　　在我看來，這是政治利益所引起的事端，並不是為了保護美國產業而挑起的戰爭。因為中國才是美國的目標對象，所以我很期待中國的反應，中國為了報復，將限制美國農產品的進口，而且作為美國國債最大持有國，中國將拋售美國國債，從而動搖債券市場。中國非常有可能會誘導美元走強，假裝試圖和美國展開全面戰，歐洲也準備共同應對。

　　川普的美國優先政策，在新核武開發方面，也和俄羅斯再次展開競爭，將氛圍引向新冷戰時代。過去貿易戰爭的歷史，從葡萄牙和西班牙的香料霸權爭奪戰開始，到荷蘭「支配海洋就是支配世界」的邏輯，最後引發了貿易戰爭。該霸權最終由大英帝國奪得。

　　然後，霸權再次轉移到美國，和俄羅斯冷戰時期的貿易戰、曾因美國的幫助而興盛的日本、在廣場協議[3]的日本牽制、1997 年開始的亞洲金融風暴、中國人民幣升值與建立人民幣的國際儲備貨幣地位等，貿易保護主義（按：為了保護本國產業，免受國外競爭壓力影響，而對進口產品設定較高關稅、限定進口配額等經濟政策）不斷被強化。

　　沒有永遠的友邦和敵人，雖然這次美中貿易戰的引發點

---

1 總統任期中間舉行的定期選舉，美國國會大部分成員皆會在中期選舉中改選。

2 俄亥俄州和賓州等製造業發達的美國北部與中西部地區，曾為美國製造業繁榮的中心地帶，如今因製造業成了夕陽產業等原因，受工業蕭條打擊。

3 1985 年，法國、德國、日本、美國和英國的財政部長，在美國紐約廣場飯店舉行會議，決定修正因外匯市場介入所引發的美元強勢。

是川普的政治算盤，但我認為這是貿易戰的開始，而且這場貿易戰不會輕易結束，好比當年英國的霸權落入美國手中一樣，這場戰爭將持續到美國失去霸權為止。將來誰會坐上霸主的位子，我們不得而知。

要發動貿易戰，川普既沒有支持勢力，也沒有名分，他有的只是與自己有關的利益而已。川普只要得到名分，就會悄悄妥協，往後退一步，至於已經開打的貿易戰[4]，傷痕並不會持續太久，然而，戰爭現在才開始，日後將會發生更大的戰爭，而那場戰爭將持續到美國放下霸權為止。

貿易戰不是始於美國第一，而是始於川普第一。我認為川普這麼做，是為了影響選舉。

但是，真正的貿易戰將連帶使美國的產業萎縮，並影響川普在政治上的去留，這點川普本人應該也很清楚。雖然歐洲的同盟和中國的報復也將開始，但雙方尚未做好展開全面戰爭的準備。這次事件雖然沒有擴大，但它隨時都可能引起紛爭，只是現在還沒引發問題而已，而這個交易戰，肯定會影響全球[5]。

---

4 於 2020 年初，中美兩國簽訂第一段貿易協議，中國承諾在 2020 年和 2021 年，分別會在 2017 年的基礎上（1,512 億美元）額外購買 2,000 億美元的商品和服務。

5 最後，這兩年中國合計只消費了 2,888 億美元，等於只履行 57%的責任。待總統喬・拜登（Joe Biden）上任後，並沒有調整川普當時設定的關稅；目前有壓倒性的數據證明，追求貿易協定，更受傷的其實是消費者，因為美國人以更高的價格承擔這些關稅的成本。

國際貿易戰爭，導致國內「錢脈硬化」

投資人想贏過市場，不是那麼容易的事。每位散戶當然都希望自己賠掉的金額比市場下跌得少，賺到的則比市場上漲的利潤還多。

這 10 年來，韓國市場指數都被困在箱型市場（按：市場上多空雙方勢均力敵時，股價陷入橫盤膠著）內，對投資人來說實在很艱辛。

但是，韓國股市的好景並非股市泡沫（按：一種經濟泡沫，股票價格被大幅推高至應有價格之上），我認為，美國股市才是充斥著泡沫。

美國在充分就業狀態繁榮的總體經濟狀況下，M1（此為貨幣供給量，詳見第 204 頁）和 M2 持續在增加，而美國透過先發制人的應對方式果斷下調利率，結果 M2、M3 大幅增加，但是即使熱錢（Hot Money，指尋求短期回報的流動資金）趨動了市場，也不見得基本面會轉好，如果哪天熱錢流到別處或其他標的，美國股市就很有可能走上泡沫化。

除了美國，G20（按：二十大工業國，一個國際經濟合作論壇）與新興市場（按：相對於北美、日本、澳洲等成熟市場國家，人均年收入為中下等水準、資本市場不發達、股票市場價值只占 GDP 很小部分，但是擁有成為成熟市場之潛力的國家），目前還處在 M1 與 M2 未見增長的停滯性通貨膨脹狀態，還需要追加實施量化寬鬆措施。

與其說是陷入泡沫之中，不如說是陷入了如同日本「失落的

20年」（按：自1989年日本經濟崩潰以來，平均年GDP增長率不到1%，使過去20年得到此稱呼）那般流動性陷阱當中，所謂流動性陷阱，就是雖然降低利率、增加貨幣供給量，但仍無法刺激消費或投資，處於無法從陷阱中逃出的窘境。

在「錢脈硬化」的情勢下，一定要讓錢滾動，若錢卡在那裡，導致事態爆發，就為時已晚了，經濟就會腦中風。如此一來，就只能上手術臺，而由手術引發的後遺症也不容小覷。

多虧美國的堅定態度，貿易戰也正趨減緩，美國堅決下調利率，讓錢開始流動，因此被堵住的地方暫時被打通了。G20或新興市場也會開始回升，而美國則再次朝泡沫走去。若你問流動性陷阱屬於停滯性通貨膨脹還是緩慢的U字型下端，我相信是後者。新興市場也將會朝泡沫走去，還有，市場也會像美國那樣壯烈犧牲，所以現在就是最需要投資的時刻。

舉例來說，2021年韓國M1、M2貨幣正急遽增加，M1為40%，M2則為20%，使眾人擔心通貨膨脹的可能性。

股市也已繼V字型反彈後進入了流動性市場。所有風險性資產正持續上漲，顯示進入了農貨膨脹（agflation，結合agriculture〔農業〕和inflation，指隨著農產物價格上漲，一般物價也跟著上漲的現象）及惡性通貨膨脹（hyperinflation，又稱超級通貨膨脹，指物價上漲不受控制，一年內上漲幾百個百分點）時代，只有現金資產正在貶值。

為了在全球化時代投資成功，我們不能單純只看本國市場，這是因為全世界經濟已經緊密連結在一起了，因此在投資之前必須觀察世界經濟動向。透過分析主要國家的經濟指數，我們可以

判斷未來經濟的走向，以此為基礎，我們也能預測自己國家股市的未來。

　　對新手們來說，要分析世界經濟走向是一件非常困難的事情，這時可以透過法人專家的報告、世界經濟論壇及各種經濟新聞，來了解專家的看法。只要搜尋，就能發現非常多相關資料。

　　先了解國際市場走向並看出股市的方向，才能採取適當行動，決定要積極投資還是消極應對。無論產業再怎麼好，企業再怎麼優秀，若市場本身狀況不佳，股價就無法發揮力量。

 股市蟻神的重點課

　　通常，證券市場的動態會比景氣更早變化，也就是在實體經濟達到最高點之前，股市會先反映市場狀況，所以股價會先出現在最高點。如果實體經濟狀況惡化後逐漸好轉，那麼，股價就會呈上漲局面。然而，股價並非永遠走在景氣前頭，因為股價不僅會受實體經濟影響，還有其他各種因素。

Q&A　問問看，答答看！

Q：國家經濟是否和全球經濟息息相關？為什麼？

Q：如果全球經濟惡化，我們該怎麼做？

4 | 利率一變動，股市就會騷動

利率什麼時候上升、什麼時候下降？美國利率上升的話，會對全球經濟造成什麼影響？

只在確定利潤的時候行動，這是最基本的法則。要理解勝算，必須訓練自己只在有利的時候出手。

——查理・蒙格

　　美國升息的消息得到支持時，許多專家會把就業指標當成升息的指標，為什麼呢？這是因為利率和物價相互關聯，而物價關係到就業指標的緣故。比起複雜的物價公式和圖表，我想用一個更好理解的情境來說明。

　　有一個生產汽車零件的工廠，工廠裡有 100 位勞動者，他們每天工作 8 小時，但是，突然訂單增加了 2 倍。他們必須在既有的時間裡，增加 2 倍的生產量，什麼方法能幫助他們達成呢？

　　第一個方法，是在維持工廠的機械或設備數量下，將投入的勞動力增加 2 倍，也就是將原本員工的工作時間拉長 2 倍，或

是錄用新員工，這叫做「提高稼動率」，稼動率是衡量設備使用狀況的指標之一。這個方法的優點是可以馬上執行，但是會對人或機械造成負擔，因此很難長期維持。

第二個方法，是乾脆將公司規模擴大 2 倍，也就是將工廠、建物、機械，甚至勞動力一概增加。像這樣同時增加勞動和資本的方法，叫做「提高產能利用率」。但是，由於此方法需要改變建物、機械等資本的數量，因此相較於只改變勞動投入量的方法，第二個方案需耗費較多時間和金錢。

因為第一個方法是以固定資本投入量為前提，所以是一個短期方案，而第二個方法因為能維持更久，所以被稱為長期方案。以資本投入量固定的短期方案來說，若不增加工廠機械，僅僅是不斷的投入勞動力，新投入的勞動者所產出的製作成果，會隨著時間變得越來越少；用這種方法新增的勞動力，若生產性不及之前的員工，那麼，由他們製作的產品成本，當然就會較先前高。

因為增加的成本更高，產品價格也就理所當然的上漲，這就是生產量增加使供給量越高，價格也就越上漲的供給曲線。如果經濟需求大幅增加，使企業雇用大量人力，一旦超過合理的勞動和設備程度，物價必然會上升。

反之，若情況是像現在普遍景氣一樣，經濟需求減少、設備過剩的話，企業會立刻減少生產效率低的人，這時，企業的生產成本反而下降，最終很可能導致物價下跌。因此，就業指標的上升象徵著物價有上漲空間，而這當然也和通貨膨脹有關，所以，就業指標是影響投資的要素之一。

股市會隨著利率變動，是因為利率政策是調整市場流動性的

關鍵措施之一。在閱讀和利率相關的報導時，也要確認關於就業指標的資訊。

政策利率，把持整個國家的經濟

政策利率是中央銀行貸款給商業銀行的利息率。商業銀行通常會根據政策利率調整存款和貸款利率。因此，央行可以依據經濟情況，透過調節政策利率，來鼓勵或減緩支出行為（按：通常景氣好的時候，央行會提高利率，景氣不好時會降低利率。在景氣良好的情況下，存款和貸款利率上升，貨幣流通受到抑制；不景氣的情況下，利率會降低，有助於貨幣流通）。

也就是說，政策利率等於一個國家的利率，也是該國家各種利率的基準。韓國從 2008 年開始實施以 7 天期債券附買回交易（Repurchase Agreement，簡稱 RP）利率為基準的「韓國銀行政策利率制」。RP 是在一定時間後，以先定好的價格為購回條件販售的債券，金融公司在韓國央行不介入的 1 週之內，承擔利率變動的風險來進行 RP 交易。

美國有聯邦基金利率（Federal Funds Rate），日本和臺灣則以隔夜拆款利率（Overnight Call Rate）作為政策利率。

基本上，升息與降息，就是升降銀行借錢的利息。利息低的時候，想借銀行錢的人（買國有債券）會變少，想跟銀行借錢的人會變多；利息高的時候，想借銀行錢的人會變多，想跟銀行借錢的人會變少，因此，買房的人也會減少。

若美國加速上調政策利率，對韓國經濟有什麼影響？首先，

美國加速升息會使美元價值劇增，美元若表現強勢，韓元則會呈現弱勢走向，外匯市場中韓元兌美元的比例會上升。這時美國的債券利率也會上升，如此一來，新興國家的投資資金將退出，集中轉向市場穩定的美國。

在這種情況下，韓國也只好升息以阻止海外投資者的流失。（按：美元升息，新臺幣同樣會走弱，雖然對出口商而言是利多，但原物料價格相對也會上漲；於 2022 年，臺灣央行睽違 10 年升息 1 碼，這是為了緩解通膨壓力。）

那麼，如果國內政策利率上調，會為股市帶來什麼影響？首先，因為銀行存款的利率變高，股市需求會減少；再者，因為比起消費，人們更想儲蓄，所以物價會下跌。

經濟這門課，並沒有所謂的公式，倘若市場如教科書一樣運作的話，那應該有很多經濟學教授是超級螞蟻。因此，我們可以得知，經濟和市場往往因人的心理而移動。隨著指數上升，從 1999 年開始，韓國的優良企業們也持續上漲，就結果來看，上調利率帶來的市場衝擊只是一時的，長期來看還是上漲。

看看這 20 年來的韓國指數走勢圖，就能發現裡頭包含著散戶們的淚水和喜悅。雖然曾發生雷曼兄弟迷你債券事件（按：美國投資銀行雷曼兄弟〔Lehman Brothers〕於 2008 年破產，致使全球金融危機開始的事件）等危機，但結論依然是上漲。

到頭來，只要擁有自己的信念，找到兼具發展性的價值股，那麼即使會受市場影響，最後一定能獲利。不要每天因股價患得患失，要持觀望態度，冷靜觀察自己持有的股票，直到它達到目標價格為止。

因澳洲升息，韓國下跌而美國上漲

　　舉個例子來看看升降息的情況，澳洲在 2009 年 10 月 6 日上調利率，但市場對於澳洲升息的反應相當有趣。10 月 6 日升息當天，韓國綜合股價指數下跌，明明剛開盤時上漲了約 20%，結果在宣布「澳洲要升息」後立即暴跌，原因在於出口策略已經開始，接下來經濟將會萎縮。

　　但韓國在下午 3 點收盤（按：現已改為下午 3 點半），當晚開盤的美國和歐洲股市則出現暴漲，與韓國相反，暴漲原因同樣在於澳洲宣布升息。海外股市將此當作好消息，也就是澳洲的升息是景氣將全面上升的信號。

　　利率上調究竟是好消息還是壞消息，其實很難判斷。既然利率上調，很明顯就是要收回資金，而既然是要收回流動性（按：代表在市場上貨幣過多時，央行回收部分貨幣，以免發生嚴重的通貨膨脹），為什麼可以將其視為景氣上升的信號？

　　的確，如果只看利率上調這件事，因為是收回流動性，所以對景氣沒什麼好處，但我們也必須考慮到時機，也就是澳洲政府要在什麼時候升息。

　　若在景氣繁榮、利率高的時候升息，這顯然會為刺激經濟帶來負擔。如果在景氣一直很好的狀態下不斷調高利率，投資人會認為馬上就要達到頂峰，便擔心景氣下滑。

　　但是在景氣差、利率低的時候上調利率，是已經跌過低點的跡象。澳洲是什麼時候升息的？當時全球面臨金融危機，是應該要降息，卻無法下調、已經是利率低谷的情況。那時，所有國家

都萎靡不振，所以澳洲一宣布升息，大家就認為「現在已經在最低谷，景氣要開始上升了」，並積極的開始投資。

當利率穩定上調時，代表牛市要來了。從過去的景氣循環狀況判斷，利率穩定上調時，股價也會同樣穩定的上漲，但我們必須密切關注升息幅度和時機。雖然不太可能出現這種情況，但假如一瞬間大幅升息，或者就算是一點、一點的調漲，但在短時間內持續上升的話，我們就應該注意。

投資人必須時常注意利率的變化，且懂得解讀利率變化所代表的意思。

 ## 股市蟻神的重點課

政策利率上調的話，因銀行存款的利率變高，股市需求減少，比起消費，人們更想儲蓄，因此物價會下跌，加權指數的動向則相反。但是，即使升息，股市不一定注定走低，如果升息時經濟復甦，股市也會被經濟影響，使收益變好。

Q&A 問問看，答答看！

Q：利率上升對什麼有利、對什麼不利？利率下降的話會發生什麼事情？

Q：如果你有2萬韓元，你認為把這筆錢放在銀行，安全的守住本金比較好，還是覺得雖然有可能虧損，但投資到能夠創造高利潤的地方比較好？

5 ｜ 匯率也會改變你手中的股價

美元的上漲和下跌，會影響全球經濟嗎？是不是也會影響加權指數？

要說什麼是最大的投資錯誤，那就是只要股價上漲，就相信自己很會投資的想法。

——彼得・林區

匯率是本國貨幣和外國貨幣的交換比率，比如，美元對韓元的比率是 1：1,000，等於用 1 美元可以換到 1,000 韓元。匯率根據外匯市場中的外匯供需所決定，是決定國家間貿易競爭優勢的重要變數。

出口導向型企業最受匯率影響，如果匯率下降，意味著韓元價值上升、美元價值下跌，如此一來出口會減少，進口會增加。

舉例來說，若匯率從 1,000 韓元變成 500 韓元，原本購買價值 1 萬韓元的物品時，只要支付 10 美元，但因匯率下降，會需要支付 20 美元。

　　反過來看，價值 1 美元的物品原本得花 1,000 韓元，變成只要半價，也就是 500 韓元就能購買，這就是匯率下降。至於匯率上升時，出口會增加，進口則會減少。

　　出口依賴度高的國家，只要匯率變動就會改變國家競爭力，而企業的獲利也會因此有所不同。

　　匯率下降會導致出口減少，企業獲利降低，股價下滑；與此相反，匯率上升使出口增加，企業獲利也會跟著提高，所以股價會上漲。

　　不過，在現實中，匯率和股價的關係沒這麼單純。實際上，貨幣升值（匯率下降）和股價上漲有著相同的趨勢，這是因為匯率下降通常出現在國家經濟穩定、出口比進口多、經常帳（按：實際資源在國際間的貿易而產生的資金流動，包括貨物、服務、收入和經常轉移四項內容）的順差（按：出口大於進口）幅度增加的時候。

　　由於國際收支順差的增加，從海外部門流入的資金增大，市場流動性變得豐富，增加了股票的購買需求，因此，穩定的匯率下降是讓股價上升的重要因素。

圖表 3-6　匯率和股價的關係

匯率下降	出口↓，進口↑	獲利降低	股價下跌
匯率上升	出口↑，進口↓	獲利提高	股價上漲

匯率和股價，基本上由國家經濟狀況決定，因此高經濟成長率、國際收支順差等資訊，都可能伴隨匯率下跌，或根據股價上升。另外，外匯資本市場開放的情況下，匯率下降會吸引意圖賺取匯差的短期投資資金，導致這些資金再次流入股市，最後可以使股價上漲。

一般匯率變動大部分比股價反應得慢，因為匯率下降所累積的效果會晚個一、兩年才出現，等於股價會事先反映出這個結果，轉為下跌趨勢。

與此相反，出口萎靡、貿易收支惡化、與貿易對象國相比經濟成長放緩時，則會導致匯率上升。因此，匯率上升雖然有利於出口比重較高的企業，但由於擔憂物價上漲以及經濟成長放緩等因素，很難期待整個股市持續上漲。

至於匯率若暴漲或暴跌，哪些產業會受惠，我們可以看看近幾年的現象。近年美元強勢，最主要原因在於原油市場變動造成的外資拋售潮。2016 年 KOSPI 與 KOSDAQ 的外資淨買金額是負 2.02 兆韓元，沙烏地阿拉伯是負 4.98 兆韓元，相反的，美國則是淨買 4.76 兆韓元。

結論就是，如果油價穩定，外資的拋售潮就會放緩。如今時代的大格局，正從石油轉向再生能源，因此，我們應該迅速掌握市場變化，因為主要原物料和經濟指標未來很可能會改變。身為投資人，我們必須比任何人都還要快了解市場變化，同時還要認真掌握各種變數，以及各項指標的細微變化。

接下來這篇文章，是我在 2020 年 9 月播出的 YouTube 講課內容，內容談論美元的強勢和弱勢對股市帶來的影響。

美元走弱和利差交易：帶來安全資產的移動

2020 年 9 月，美國市場開始堅守不住，那斯達克暴跌，道瓊也跟著下跌，我們來看看這個現象。

由於投資人看好科技股，所以許多人搶著買進，尤其，當時美元走弱（貶值），散戶更想將錢投入股市，因而使科技股大漲。換句話說，如果股市出現即將下跌的信號時，投資人就會買入美元或黃金等安全資產來避險，此舉將使美元走強（升值）。回顧疫情爆發時，匯率逼近 1,250 韓元，令所有人陷入恐懼之中，但是最後怎麼樣了？

新興市場恢復的速度，比那些大眾認為最安全的經濟先進國家還要快。所謂新興市場，指的是金磚五國（巴西、俄羅斯、印度、中國、南非）、東南亞等資本市場領域中，新興快速成長的國家。

儘管如此，由於人們偏好安全資產的心理，使他們大規模囤積美元，撤出新興市場，購買美元資產；再加上西學螞蟻（按：與買入韓國國內股票存股的東學螞蟻相對，指直接投資美國等海外股票的散戶）也投入其中，韓國的投資資產（如股票、房地產等）大部分都轉移至美國，在美國市場活動。與此同時，美元急速升值，匯率跌破 1,200 韓元，來到 1,160 韓元，呈現穩定的局面。

之前出現美元利差交易（按：又稱套息交易或融資套利

交易，指在低利率的國家借錢，換成較高利率國家的貨幣後出貸，賺取利差）的現象，因為當美元強勢，能用美元資產買進更多東西，但為了防止美元貶值，美元不再是安全資產，所以出現拋售美元資產，回到新興市場的現象。人民幣走強或韓元升值的情況下，也會出現美元利差交易。

這時，一直拋售韓股的外資們現在開始買進，從這種情況我們可以看出，市場普遍認為美股再也不是安全資產，會發生這種情況有很多原因，但起因主要是美國不斷發行美元資產，也就是發行債券、出售債券、印製美元，而這就是大家認為美元再也無法成為安全資產的原因。

包含西學螞蟻在內的許多投資人進入美國股市，在美元強勢的狀態下買了美股，結果美元突然貶值，再加上股市走低，使投資人蒙受雙重損失。也就是說，如果在換匯時出現損失，連美股都下跌的話，虧損就會更加慘重。

當經濟亮起危險信號時，若引發偏好安全的心理，情況也有可能會往反方向走，新冠疫情爆發時實際上就出現過相反現象。由於美股暴漲，連美元都升值，因此形成了用股票賺錢再用美元賺匯差的雙重獲利結構，現在則再次出現稍微相反的現象。

當然，美元並不會持續貶值，但是當我們看整體趨勢，就能發現美元價值呈下滑趨勢。如果我手上有美元的話，我也會馬上換成現金，理由是對美元的偏好度已經下降很多，

與過去不同了。亞洲金融風暴來臨時，韓元兌美元的匯率甚至還曾出現了劇變，從 1,200 韓元變成 2,000 韓元。

　　偏好安全的心理較強的投資人，會為了買進美元而努力。現在也有人持續在累積美元，美元作為關鍵貨幣，經常與黃金這類資產一同被視為安全資產，因人們偏好安全資產，所以美元才會大幅上漲。

　　隨著美元貶值，用黃金或是美元結算的原油價格，也再次一點一點的下跌，像這樣，美元和偏好安全資產的心理，兩者形成的牽制關係其實相當複雜。

　　外資會進來韓國，也是因為如果在美元強勢的狀態下買入我國股票，然後一直持有，直到韓元開始走強，那麼就算股票沒有上漲，也能夠只憑匯差就賺取相當大的報酬。這代表當今時期，再也不會因新興市場或全球經濟會大幅下跌，而引發危險。

　　人民幣在走強，韓元也隨之表現強勢，如此一來，新興市場會出現什麼現象？因為韓國是發行大部分債券後，用美元放債，因此我們所持有的美元資產負債會減少；相反的，美國的負債則再次增加。現在新興市場的股市之所以好，也是因為有外國資金流入。

　　日本會走入失落的 20 年，其原因之一是強烈的緊縮政策。採用緊縮政策的同時，若沒有伴隨著市場流動性，就會產生兩、三年的經濟危機，長則 6 年；網路泡沫就持續了 2

年左右，接下來發生的次貸危機也是如此。

　　像這樣，迅速緊縮會使經濟突然衰退，導致危機出現；相反的，提供無限制的經濟流動性則可以活絡市場。

　　現在採取緊縮政策來回收流動性，究竟會出現何種現象？我在前面說過，可能會導致經濟泡沫化，不過，在泡沫化期間與到來之前，政府也會施行其他對策。

　　希望你在讀這本書的時候，市場流動性仍舊源源不絕，不過，即使已經結束了也不要太沮喪，無論市場怎麼改變，只要和我一起認真學習，就能靠投資成功致富！

 股市蟻神的重點課

　　身為投資人，我們必須比任何人都要更快了解市場變化，同時還要認真掌握各種變數，以及各項指標的細微變化。

Q&A　問問看，答答看！

Q：美元為什麼會上漲或下跌？美元上漲的話，對我們的經濟有什麼影響？

Q：國內景氣變差時，持有美元是好事嗎？

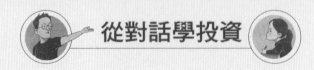

從對話學投資

遛狗理論和四種值得投資的公司

今天你想談什麼？有好奇的事情嗎？

如果賠錢了，你還會想再次投資嗎？如果是我的話，可能就不想投資了。

巴菲特說過，投資的第一個原則是不要賠錢，第二個是不要忘記第一個原則。這句話雖然正確，但事實上，投資絕對不可能不賠錢，只能為了不要賠錢而盡最大的努力。巴菲特有時也會賠大錢，但因為有安全邊際，所以就算企業出了什麼問題，投資額也能得到補償。

我們再來看一次你提出的問題，賠錢真的是一件很令人傷心的事，我也會感到難過，但轉念一想，眼前看到的數字，只不過是網路上的貨幣罷了。我不會用錢來看股票，因為更重要的是持有多少股份。儘管如此，巴菲特說的話仍然正確，只是不要賠錢這句話，前面加上「大」字會更準確。

我們必須避免「大賠」。比方說，花大錢投資缺乏安全邊際的企業，如果失敗了，你的本金就會歸零，這時要再次賺回本金可就很難了。我就算這次虧損，之後還是會想入場，因為我投資的企業，其價值沒有改變，也就是說，只有價格變

196

動，企業價值依然一樣。

股市中有一個有名的「遛狗理論」，我們和家裡養的狗狗托利一起去外面散步時，我們抓著牽繩，有時候走在牠前面，有時候走在牠後面，如果托利因為太興奮、到處亂跑的話會怎麼樣？

不管牠往哪個方向跑，都無法超出牽繩最長的距離。

沒錯，你是企業，托利就是價格。也就是說，企業會繼續走下去，直到回家之前，都會一直走下去；相反的，托利的行動很不規則，牠會走來走去，那就是價格。但是，我們回家之後，狗會緊貼在主人身邊，對吧？

嗯！

這就是拿主人和狗來比喻的遛狗理論，還有其他問題嗎？

你投資了很多年，對你而言，投資有著什麼樣的意義？

可能是讓我過上第二個人生的東西。我以前家境不太好，但是透過投資，我實現了某種程度上的財務自由，也獲得了時間自由。投資讓我得到了自由這份禮物，也因為如此，我能夠在現在這個時間悠閒的和女兒對話。另外，你不是從小就經常和爸爸媽媽去旅行嗎？

對！

這都是因為我們擁有 3 個自由的關係，股票投資讓我得到了自由，所以我很幸福。

但是，如果一直投資失敗，不應該停止嗎？

投資失敗的理由有很多，會反覆虧損是因為你還沒做好準備，沒有正確的投資。方法錯誤的人，絕不可能成功，只會

不斷失敗，所以你只要從現在開始，慢慢學習經濟、好好樹立自己的投資原則，就不會失敗。

我會好好努力，不過，如果要評估一間企業的話，可以只靠分析嗎？

在回答這個問題之前，你到現在為止評估過幾間企業？

2 間，YG 娛樂（按：韓國經紀娛樂公司）和奈斯瑞明（按：韓國提供影片剪輯服務之公司）。

你在評估企業時，感受到了什麼？評估 YG 時，是不是也看了 SM 和 JYP（按：以上為韓國經紀公司三巨頭）？

對。

這代表你已經看了 3 間企業。那在評估奈斯瑞明的時候，還看了哪些競爭公司？

還看了一間叫 VLLO 的影片剪輯程式公司，但還沒上市。

很好，你已經能評估公司價值了。只靠估值，企業評價就會出現不同結果。實際分析過 YG 後，隨著時間推演，它是不是就如同你預估的一樣，股價上升了？而奈斯瑞明的股價就像你預估的一樣下滑。就結果來看，你的眼光正確，只要多重覆幾次，就能更順利的評估企業價值。在你看來，什麼樣的企業是會越來越好的企業呢？

營收和營業利潤增加的企業？

沒錯，假設本益比為 10 倍，而某間企業的淨利是 100 萬韓元，那它的市值會是多少？

1,000 萬韓元。

對，用這種方法就能估出價值。還有哪些企業值得投資？

該產業正在發展的企業。

正確！我們要注意下游產業前景很好的企業。你會選擇分析前面說的那些企業，不也是因為下游產業前景很好嗎？K-pop 既是你關心的東西，同時也正走向國際，表示產業正在成長；另外，你喜歡的網漫相關公司，今後也有更進一步發展的可能性，因為也可以靠內容進軍全球。還有哪種企業很值得買入？

有安全邊際的企業？

對，有安全邊際表示擁有很多不動產和現金，所以如果事業成績不佳，仍然可以賣掉不動產，順利的投入現金。此外還有什麼？

市占率增加的企業？

哦～市場占有率增加的企業，例如？

Market Kurly（按：韓國雜貨配送新創公司）？

沒錯，還有呢？

連鎖超市樂天瑪特。

錯了，樂天瑪特的市占率一直在下降，因為它以實體超市為主，而非線上超市。還有呢？

電商 Coupang ？

答對了。還有哪種企業值得我們投資？

懂得不斷投資的公司。

沒錯，為了持續發展，企業想增設工廠就要投資，這樣才能雇用更多人來生產更多商品，以提高營業額。Coupang 也是，它不斷的增加物流系統，負責配送的送貨員也在短期內

大幅增加，如果不這麼做，怎麼可能有足夠的人手，每天早上送貨給你呢？

Market Kurly 也不例外。誰會投資這間公司？當然是資本投資者。這麼一來，企業把股份分給投資者，然後拿投入的資金再次努力投資，也會雇更多人、賺更多錢，這樣股價就會繼續上漲，企業就是靠這種方式成長的。除了上面這些之外，你覺得還有什麼企業值得關注？

從政策中受益的企業。

不錯，政府為了國家發展，會提出許多政策，而順應那些政策的企業就得以成長。今天我們講到了 4 個重點，就是：買下有安全邊際的企業、不要賠大錢、要用便宜的價錢購入、要懂得估值。只要做好這 4 點，就算從投資這門課畢業了。會不會有點難？

嗯，對我來說的確有點難。

你能和我這樣對話，實力就已經接近 50％了，我會一直為你加油！

6 | 油價和股價，存在一把雙面刃

油價上漲的話，對整體世界經濟有什麼影響？又會怎麼改變股價？

若要投入股市，就必須在心態上做好準備，且願意承擔風險。世上沒有任何一個股市，能保證帶來報酬。

——德國證券界教父
安德烈・科斯托蘭尼（André Kostolany）

OPEC（石油輸出國家組織）是聚集石油生產和出口國家代表所形成的協議組織。1960 年，為了對抗跨國石油公司宣布降低中東原油價格，在伊拉克政府主持召開的巴格達會議中，伊拉克、伊朗、沙烏地阿拉伯、科威特和委內瑞拉 5 個國家，宣布成立 OPEC。

當時，組織成立的主要目的是蒐集與交換情報，以及為了避免過度競爭導致整體利益下跌，形成價格卡特爾，但該組織自1973 年主導第一次石油危機，成功上調石油價格之後，組織就

變質為調整生產量的生產卡特爾。目前該組織的成員國有 13 個國家。

原油價格，指的是在國際市場中，交易不經過加工過程的原油時所定的價格。以桶為單位，一桶是 158.9 公升。杜拜原油、美國西德州原油、英國北海生產的布蘭特原油，這三者被稱為世界三大油種，在國際油價市場中影響力最大。

油價上漲對經濟的影響很大，像最近世界經濟因低成長、低物價而陷入景氣停滯的情況中，一定程度的油價上漲，可看作是好消息，原因在於，若世界最大的石油輸出國，也就是以沙烏地阿拉伯和伊朗為首的主要石油產國，原油收入增加使需求增加，有利於世界經濟恢復景氣。

產油國的低油價如果持續很久，會引起嚴重的經濟困難，也可能導致世界經濟長期萎靡。

油價上升對出口依賴度高的國家尤其有益，停滯不前的煉油、化學工業變得活躍，長期看來，對造船業和建設業也有正面影響。

另外，油價上漲也有助於改善新興國家的經濟。俄羅斯、巴西和印度等石油出口國，這些主要新興國家的經濟，很大程度取決於油價走勢，尤其對俄羅斯、巴西等天然資源豐富的國家來說，油價上漲會改善國內經濟。

不過，高油價是一把雙刃劍，如果油價一直很高，原物料進口物價就會上漲，使成本上升、引發通貨膨脹，這樣股價就很可能下跌。

我們很難明確劃分油價和股價的關係，最好的方法就是長期

觀察自己持有的標的在油價上漲時，是跟著上漲還是下跌，掌握其模式之後再決定買賣時機。

 股市蟻神的重點課

　　油價會影響世界經濟，在低成長、低物價的景氣停滯狀態下，油價上漲是好消息；但是，如果油價一直很高，原物料進口物價就會上漲，使成本上升，引發通貨膨脹，股價就很可能因此下跌。

Q&A 問問看，答答看！

Q：石油價格為什麼會上漲？

Q：如果臺灣有石油，會為經濟帶來什麼影響？

Q：每個出產石油的國家都很富裕嗎？如果不是如此，為什麼？

7 | 貨幣供給量增加，短期有利長期很傷

「流動性」這個單字很常出現在新聞或是書裡，流動性代表什麼？國家整體的錢變多的話，會為股市帶來什麼影響？股價一定會直線上漲嗎？

一間好的公司，最基本的定義是它們會創造比支出還要多的現金；而一位好的經營者，則會持續尋找將那些現金投入生產用途的方法。

——班傑明·葛拉漢

在這裡，我會以淺顯易懂的方式解釋何謂貨幣。

在韓國，貨幣可簡單分為：M1 狹義貨幣，是隨時可以換成現金的存款；M2 廣義貨幣，是 M1 再加上流動性好、到期未滿 2 年的定期存款，以及市場型金融商品等。

至於最具概括性的 M3 貨幣，則掌握所有金融機關，能含括銀行和非銀行金融機關的流動性程度，而 M1、M2 和 M3 都屬於貨幣供給量。

不過，每個國家對貨幣的定義標準不同，也有國家用 M0、

M1、M2 等不同名稱（臺灣制度請見第 206 頁圖表 3-8）。

　　貨幣供給量意味著市面上流通的貨幣量，由貨幣基底的大小、在民間部門的現金比率，以及金融機關的存款準備金比率（按：指商業銀行的初級存款中，不能用於放貸之部分的比例）來決定。

　　貨幣基底（monetary base）是央行創造的貨幣總量，包含流通的貨幣、商業銀行金庫中實際持有的貨幣，以及商業銀行在央行持有的準備金（按：金融機構為了保障客戶能夠提取存款、保持足夠資金作清算，而存放在央行的存款），總貨幣供給量 M1、M2、M3 則是貨幣基數衍生、貸款後增加的貨幣總量。

　　貨幣乘數（money multiplier）指的是最初的貨幣基數，會在擴張幾倍後流通到市面上；在景氣擴張的情況下，由於景氣很好，許多人會使用槓桿，也就是借錢投資，因為他們期待的報酬率比貸款利息還要高。

　　這麼一來，貨幣乘數會變高，而相反的，在景氣衰退的情況下，因為消費萎縮，貨幣乘數也會變低。所謂的經濟泡沫，即是指貨幣供給量無限增加的情況。

　　央行會考量經濟成長率、物價和利率等，彈性的控制貨幣供給量。

　　實物價值用貨幣來判定，而貨幣價值由利率來決定，若貨幣的需求比供給還多，貨幣價值和利率就會上升，因此，「放寬貨幣政策、進行量化寬鬆」代表增加貨幣的供給，也就表示貨幣價值會下跌、利率將降低。

圖表 3-8　臺灣央行的貨幣供給量定義

臺灣將貨幣分為 M1A、M1B 和 M2，其定義分別為：

1. M1A

M1A ＝通貨淨額（社會大眾手中持有的通貨）＋企業、個人與非營利團體存在銀行與基層金融機構之支票存款及活期存款

2. M1B

M1B ＝ M1A ＋活期儲蓄存款（目前只有個人及非營利團體可以開立儲蓄存款帳戶）

3. M2

M2 ＝ M1B ＋準貨幣（按：指可無條件立即按等價兌換成狹義貨幣的貨幣性資產，如定期性存款、外匯存款、郵政儲金等，流動性較狹義貨幣低，多以價值儲藏為目的）

就流動性而言，M1A ＞ M1B ＞ M2。

貨幣供給量會對股價產生什麼影響？

在經濟學中，貨幣供給量指的是在市面上流動之金錢的流通量，其測量標準一般包括流通貨幣（如紙鈔和硬幣）與活期存款（按：無須任何事先通知，即可隨時存取和轉讓的銀行存款）。

首先，如果貨幣供給量增加，資金被企業吸收，企業就會運用這筆資金來擴大各種設備投資，從而提高收益性。依這個模式

推演，企業股價會上漲，增加的貨幣供給量會被民間吸收。但是，貨幣供給量增加並不等於股價上漲。

図表 3-9　貨幣供給量和股價的關係

企業	貨幣供給量增加 → 獲取資金 → 投資設備 → 提高收益性 → 股價上升
民間	貨幣供給量增加 → 獲取資金 → 買入股票 → 股市繁榮 → 股價上升

貨幣供給量增加，會對利率帶來什麼影響？隨著時間過去，會帶來流動性效果、所得效果以及費雪效果。

所謂流動性效果，指的是隨著貨幣供給量增加，利率出現短期下滑的現象。但是，如果利率下滑，投資就會增加，導致國民實質所得增加；而這又會顯示出貨幣需求提高，造成利率上升，這個則是所得效果。

另外，費雪效果指的是當貨幣供給增加，導致發生物價上漲的通貨膨脹時，根據費雪方程式（見下頁圖表 3-10），名目利率（按：名義上或表面上可以得到的利率，名目利率要再扣除通貨膨脹率，才會得出實質利率）上升的效果。

綜合上述說明，貨幣供給量增加，雖然會在短期內為股價帶來正面影響，但以長期來看，貨幣供給量增加會使利率上升，最終仍會為股價帶來負面影響。

圖表 3-10　費雪方程式

該方程式以利率相關理論著名的經濟學家爾文・費雪（Irving Fisher）命名。當我們將名目利率作為 i，實質利率作為 r，通貨膨脹率作為 π 的時候，費雪方程式為：「$i \approx r + \pi$」雖然在這裡使用近似符號「$\approx$」，但一般都寫作均等式：

$$i = r + \pi$$

此方程式指的是，將錢存入銀行，把收到的利息透過資本營運得到物質性收入，再加上通貨膨脹的金額。舉例來說，在銀行收到 6% 利息，假設通貨膨脹是 2%，那麼實質利率就是 4%。這個方程式也能被運用在分析事前和事後利率上。

 股市蟻神的重點課

如果貨幣供給量增加，資金被企業吸收，企業就會運用這筆資金來擴大各種設備投資，從而提高收益性。依這個模式推演，企業股價會上漲，增加的貨幣供給量會被民間吸收。但是，貨幣供給量增加並不等於股價上漲。

Q & A　問問看，答答看！

Q：你知道錢的種類有哪些嗎？什麼是貨幣？

Q：現在的 1 萬韓元和一年後的 1 萬韓元，兩者哪裡不一樣？

Q：國家的錢變多的話，會出現什麼現象？

8 買好就「抱緊」？ 有時也要滾動式修正

無論是什麼股票，持有時間都是越長越好嗎？還是應該盡快賣出，改買其他股票？很常聽到「炒短線」這個詞，到底是長線比較好，還是短線比較好？

絕對不要因為市場的恐慌而立即行動，賣出的時機點是市場下跌前，而不是市場下跌後；請深吸一口氣，安靜的分析自己的投資組合。

——英國著名股票投資者
約翰·坦伯頓（John Templeton）

　　散戶會失敗的主要原因之一，就是幾乎不長期持有股票，也有投資者忙於用數十股、數百股價格便宜的標的炒短線。這樣做，不僅無法提高收入，還會落得只為證券公司奉上手續費的下場。當然，長期持有股票，並不意味著一定要抱很久。

　　長期持有績優股固然正確，但不能只是單純的擱置在一旁，你需要時常觀察、調查並管理。在追蹤的過程中，若你對於這支股票的預測有了變化，或是你的投資原則改變了，那就得毫不眷

戀的拋售。

　　想讓你的預測變得更準確，就必須不斷修正，並預測企業的成長與發展，藉此修正估值。反覆並持續的追蹤新產業、預測並修正新價值，這是投資人應有的正確態度。

　　投資股票時，我們不可以期待有誰會為我們寫出答案。實際上，真正的高手，在按下賣出鍵的那一瞬間之前，都還在修改答案，因為他們要不斷將答案修改得「更正確」。透過這個訓練，你也能提高自己的預測能力。

 ## 股市蟻神的重點課

　　長期持有績優股固然正確，但不能只是單純買來放著，你需要時常觀察、調查並管理。在追蹤的過程中，若你對於這支股票的預測有了變化，或是你的投資原則改變了，那就得毫不眷戀的拋售。

Q & A　問問看，答答看！

Q：你無條件長期抱緊股票，是正確的嗎？

Q：靠做短線獲利，有什麼優缺點？

Q：你認為什麼是最佳的投資態度？

⑨ 炒短線，只會浪費手續費

想交易，一定得去證券公司嗎？有沒有什麼便利的方法，像是利用手機或網路交易？要買股票的話，最少需要多少錢？

避免犯下其他投資人所犯的錯誤，是朝成功邁進最重要的第一步。事實上，只要做到這一點，就等於保障了一半以上的成功。

——賽斯・卡拉曼

直到 1990 年代中期，城市裡到處都有著叫做「號子」的地方，也就是證券公司營業廳，最近 MZ 世代（按：包含 1980 年代初至 2000 年代初出生的千禧一代，以及出生於 1990 年代中期至 2000 年代初的 Z 世代）的投資者們可能沒聽過。

那裡的空間至少有三、四十坪以上，前方有著巨大的電子看板，看板前面則擺著五十多張椅子。

只要開盤，散戶們就會入座，一邊盯看板，一邊留意股價漲跌狀況。公司名字前面標示著金額（數字），上漲的話就呈現紅

色，下跌的話則呈現綠色。

如果看板是一片草莓田，就代表加權指數上漲；成了白菜田的話，則代表大盤下跌。曾影響無數人命運的電子看板，現在已經全部消失，我們能用電腦和手機，在任何地方輕鬆交易。

除了只要能連結網路，隨處都可以進行交易之外，網路下單時，手續費會根據券商不同，而享有不同折扣。無論是在應用程式還是網頁上，都能掌握包含委買、委賣等股市相關事項，以及國內外經濟全局。

不過，用手機和電腦下單雖然方便又有效率，但也相對存在著風險。由於系統既快速又容易操作，投資人容易陷入炒短線的誘惑之中，若是頻繁的做短線交易，就難以提高獲利，只會平白浪費手續費，讓好操作這個優點變成缺點。

 股市蟻神的重點課

用手機和電腦下單雖然方便又有效率，但系統既快速又容易操作，投資人容易陷入炒短線的誘惑之中，頻繁的做短線交易，導致難以提高獲利，平白浪費手續費。

Q&A 問問看，答答看！

Q：找營業員買賣股票比較好，還是網路下單比較好？

Q：網路下單的優缺點是什麼？

10 買股必懂的節稅方法

如果我用 1,000 韓元買入，並在 1,500 韓元賣出，獲利的 500 韓元都是我的嗎？還是要付手續費和稅金？反過來說，如果我用 1,000 韓元買進，在 800 韓元賣出，損失 200 韓元，這時也要付手續費嗎？

在股市成功的人也會週期性的虧損、嚐到挫折的滋味、受意外事件打擊。但是即使出現慘跌，他們也不會放棄投資，而是接受厄運，開始發掘下一支股票。

——彼得・林區

談到投資，我們就要了解一下手續費和證券交易稅的概念。

手續費的比例，每間券商都不同，交易手續費不同於稅金，在買進和賣出時都要繳交，雖然一次的費用很少，但交易次數若增加，也是一筆相當可觀的金額，這也是炒短線不容易的另一個理由，因為必須扣除稅金、手續費，才是真正的獲利。

就算一天只交易 10 次，還是要付上不少手續費，每間證券公司的手續費各不相同，為了吸引顧客，也有很多券商推出超低

的手續費，只要仔細了解、精打細算的交易就沒問題。別忘了，要減少無效的開支，才能累積財富。

另外，在韓國，除非是大股東，不然股票是沒有轉讓所得稅的，因為每次交易的時候都會扣稅，所以和投資虧損無關。

以 2020 年為基準，大股東是指上市股票的持股率在 1％，或持有市價超過 10 億韓元以上的人，稅率達 20％到 30％；從 2023 年開始，即使是小額股東，也要繳交股票轉讓差價所得相關稅金。

在臺灣買賣股票，要另外付哪些錢？

買賣股票，證券商都會收取手續費，而這個手續費原則上是成交金額的 0.1425％，但是，如同前面提到的，透過網路下單，每間券商的折扣都不同，所以開戶時可以先調查，選擇最適合你的操作方式的證券商。

除此之外，賣出時還需要繳交證券交易稅。證券交易稅的課徵稅率，跟你的操作模式有關，基本上，只要散戶不是做當沖（當天買進又賣出），而是持有超過一天再賣出，按出售時的成交金額，將課徵 0.3％ 的證券交易稅。

如果做的是當沖，按出售時的成交金額，須課徵 0.15％ 的證券交易稅。

股市蟻神的重點課

　　每間證券商的手續費各不相同，為了吸引顧客，也有很多券商推出超低的手續費，只要仔細了解、精打細算的交易就沒問題。別忘了，要減少無效的開支，才能累積財富。

Q&A　問問看，答答看！

Q：你知道所有錢都包含稅金嗎？

Q：國家為什麼要徵稅？

後記
我從班上最窮的孩子，變成躺著賺的高手

　　讀到這裡，各位已經打好了投資的基礎，辛苦了！

　　關於投資，最重要的就是要擁有一輩子都受用的投資心態。請將這本書讀個幾遍，把內容內化於心中，若你已經做好心理準備，就可以開始閱讀下冊《股市蟻神的機智投資生活（散戶實戰技巧）》。

　　在進入投資的世界以後，你將會更切身的感受到，我們生活的世界緊緊相繫，每個人一舉一動都會影響到他人；讀完這兩本書後，你將會對世上的資訊更加敏感，對時代的變化更為敏銳。這樣的態度，不僅有利於投資，也能用於生活中和工作上。

　　我希望各位能和我一樣，體會到預見未來的喜悅，也希望各位能夠用成功的投資方法，為自己和家人帶來幸福，更進一步的享受真正的自由；以下我附上一個由韓國小說家金灝慶改編，主角正勳以超級螞蟻金政煥——我自己的真實人生為基礎的故事（部分新聞取自《韓國經濟新聞》），讓各位一窺我的投資致富旅程。

　　作為各位可靠的投資導師，我會一直陪伴在大家身邊，讓我們一起成為有錢人吧！

❧ 每個人都有 3 個自由 ❧

在不知不覺中，時針指向 7 點 30 分，正勳拿著書包往門口走了兩、三步。藍色大門因為油漆斑駁，顯得有些難看，看到這扇門，正勳心想，家裡只有老舊的東西，沒有一件衣服是新的，就連現在穿在身上的校服也一樣。

掛在檐廊（按：東亞傳統建築中，屋簷延伸為頂的走廊，檐音同言）上的時鐘剛過 7 點 40 分，該出門了，正勳輕輕推開大門，把頭探出去，望向右邊。呈 S 型的道路上頭，鋪著凹凸不平的人行道磚，他沒有看到同學的蹤影。

「好險……。」正勳鬆了一口氣，往左邊望去，也沒有人。不過，在他要踏出右腳的那瞬間，突然傳來嘈雜的聲音，原來在巷尾，有三、四名穿著校服的同齡孩子，正嘰嘰喳喳的走過來。正勳趕忙跑回屋內並拉住大門，一直到聽不見他們的聲音後，他才重新探出頭。

「就是現在！」正勳迅速的衝出大門，快步行走，這時從後面傳來了腳步聲。

「正勳！」他回頭看，發現喊他的人原來是同班同學永哲和仁秀，他們朝正勳嘻嘻的笑了一下，永哲突然靠過來，問道：「你寫數學作業了嗎？」

「寫了。」

「那到學校借我看一下，我沒寫。」

「好啊。」正勳欣然的點點頭，而這次換仁秀開口了。

「話說回來……你家到底在哪裡啊？」

正勳突然感到胸口發悶，心跳加速、臉頰發燙，似乎連耳朵都紅了，他撇開頭，沒來由的看著天空，回覆道：「哦……我們家哦……在那上面。」

不過，面對正勳的胡說八道，仁秀毫不放棄，繼續追問：「上面哪裡？都開學幾個月了，我還沒去過你家，你家是什麼祕密基地嗎？還是國家機密？」

相對的，永哲一句話也不說，只是走著，好像一心只想著要抄數學作業；仁秀則繼續追問，像是今天早上一定得問出個答案一樣：「那為什麼不讓我們去你家玩？」

就算把所有家當都放上去，也裝不滿一輛貨車。電視、留聲機和鋼琴都已經賣掉了，只剩下一些日常生活的必需品。貨車司機吹了一聲口哨，和母親示意要離開了。

「不管行李多少，跑一趟就是 10 萬韓元。」

母親擦去額頭上的汗珠，向司機求情：「這麼說是沒錯啦……，但行李這麼少，工作也輕鬆，趕快結束的話，您還可以去別的地方載行李，算 8 萬韓元就好了嘛。」

「不行，載一趟就是 10 萬韓元。」

「不然 9 萬韓元可以嗎？」

父親站得遠遠的，只是看著天空。正勳一方面對母親感到同情，一方面又對父親感到非常生氣；妹妹拉住母親的手，像是在催促她，因為她不希望社區裡的其他孩子看到這一幕。貨車司機分別看了母親、妹妹和正勳一眼，然後勉強的點頭。

「真是的，就這樣吧！看在孩子的份上，便宜你 1 萬韓元。」

「謝謝。」

母親因為 1 萬韓元而低頭的模樣，看起來很淒涼。正勳緊緊握拳，默默告訴自己：「我長大後一定要成為有錢人。」現在看起來，那時的自己實在可笑至極，明明他能做的，除了努力念書以外，什麼都沒有。

貨車經過十字路口，在巷子裡轉了幾次彎之後，停在一間舊屋前。如今，要重新展開生活的房子，是一間不到 20 坪的破石板屋，下雨的時候，雨水還會從天花板漏下來。

遠處秀麗的高層公寓大廈社區映入眼簾，從那棟大廈的 19 樓眺望這個社區會是什麼感覺？想到自己可能永遠無法親自體會，正勳心頭一陣黯淡。

在三、四個月前，人們只要看到父親就會恭順的低頭行禮。那時父親是一位有能力的企業家，母親則是一位仁慈又有氣質的家庭主婦，也是賢明的子女教育家。

但就在某天早晨，這一切都消失了，父親成了失敗的企業家，而母親則成了為生計奔波的勞工。人們不再以老闆和老闆娘稱呼他們，反而成了窮困的大叔和大嬸。

住在狹小又破舊的房子裡是一件很丟臉的事情，不管是哪個朋友，正勳都不想讓他們看到自己生活的地方。

每天早上他都要確認巷子裡沒有其他孩子，才敢離開家門；放學後就留在教室裡寫功課，或去運動場踢足球，等到天黑後才悄悄回家。

國中畢業那天，正勳在日記裡寫下：「我一直隱瞞著令人難以啟齒的真相，自由究竟什麼時候才會降臨？」

懂得何謂貧窮，才能擺脫貧窮

老師拿起粉筆在黑板上寫下：

校外教學：10 月 16 日～ 19 日，忠州—浦項—慶州—釜山
126,000 韓元

學生們高聲歡呼，他們壓根兒不在意金額，畢竟，在高二學生之中，有幾個人真正明白 12 萬韓元的意義呢？正勳茫然的望著那個數字。老師敲了幾下講桌，說：「我現在把通知單發下去，回家拿給媽媽看，校外教學的費用在 10 月 12 日之前要交，知道了嗎？」

「知道了～」宏亮的聲音響遍整個教室。

幾天後，老師把正勳叫到導師辦公室。

「功課還好吧？你成績很好，沒什麼好指責的……校外教學費用還沒交啊？」

「……。」

老師點了點頭。無論是 10 年前還是現在，班上一定都會有一、兩個去不了校外教學的學生。如果是國中生的話，一定會埋怨父母，但正勳已經不是小孩了。

去校外教學的學生們坐上遊覽車，吵吵鬧鬧的離開之後，留下來的學生集中到二年一班教室裡自習。這些同學中，有 7 位是社會組，8 位是自然組，他們是全校 421 位學生中的 2%，也就是處於金字塔底端的 2%。

留下來的同學們互不相看也不交談，只是安靜的打開書。正勳開始解微分方程式，一直到第四節下課鐘響為止，他總共解了24題。孩子們一個接著一個回家之後，正勳獨自吃著便當，並開始解積分方程式。第二天和第三天也一樣，他坐在同一個位子上，不發一語的解題。

「你想進 S 大學的經濟學系？」老師攤開落點分析表，瀏覽正勳的成績單，從一年級到三年級，正勳的成績都在前2%。「依你的成績應該綽綽有餘，你覺得上師範大學或行政學系怎麼樣？」

正勳搖搖頭，他知道這是在勸他以後去當老師或公務員，從事穩定的工作，大部分家境貧困的孩子，都依循了這樣的建議。正勳果斷的說：「我要念經濟系，不然就去經營管理系。」

其實，正勳連經濟系實際上是在做什麼的都不知道，他只大概知道這兩個科系的人氣僅次於法學院，而且可以學到跟錢有關的知識。

正勳想解開一個課題，那就是為什麼有人貧窮，有人卻很有錢。他想解開這道謎，因為自己很窮，所以他自認多少對貧窮有所了解；另外，他還想知道要怎麼做，窮人才能成為有錢人。他想知道究竟有沒有什麼辦法、原則或是解決方案，能打造出一個沒有人會因貧窮而被歧視的社會。

職場混得再好，還是在幫別人賺錢

大銀杏樹成排的校園既浪漫又嚴謹，對正勳來說，大學給了

他第二個人生。就算在學校穿著破舊、沒有參加過聯誼，也沒有人干涉他，但是鑽研自己喜歡的學問，更加激發了他的熱情。另外，多虧母親努力賺錢，正勳的家境一天比一天好。

從大學畢業後，他繼續升學念經營管理研究所，正勳尤其對行銷科目感興趣，因為行銷所需的直覺和創意擄獲了他的心。

某天研究所下課後，正勳發了一則簡訊給學長：「若是不忙的話，希望可以跟您約在學校前面的 2 樓銀杏樹咖啡廳，一起喝杯咖啡。」

正勳坐在窗邊凝視著天色漸暗的街道時，學長來了。兩人聊著聊著，開始進入正題，正勳問道：「要不要和我一起開網路行銷顧問公司？」

這個提議來得很突然，令學長感到有些驚慌。所謂網路行銷顧問，是為了達成顧客目標，處理網站事前規畫，並改善、修正結果等一連串過程的職業。在當時，理解這個詞的人不多，是個事業系統構建還不明確的時期，但成功率很高。

學長稍作思考後回答：「我們會需要 IT 專家……更重要的是，得找出事業的輪廓。」

正勳則回應：「只要我和學長合力聯手，就做得起來。」

後來，意氣相投的兩個人，就這樣開了一間網路行銷顧問專門公司。正勳每天從早忙到晚，幾乎沒有休息的時間，不過仍然感到很值得，因為雖然不多，但他可以給母親生活費了。

3 年之後，公司進軍中國，正勳學了中文後前往北京，雖然北京對他而言是塊陌生的土地，但事業依然維持得不錯。某天，一位三星高層人員來公司拜訪，那個人對網路相關產業十分感興

趣。他向正勳提議：「想不想來我們公司工作？」

「您說的『我們公司』指的是哪裡？」他回覆。

「是 e 三星中國，我可以給你課長的位置。」對方說。

正勳陷入了苦惱中，他沒有在大企業工作的經驗，日後想要經營大公司的話，就必須趁著年輕，經歷在大企業的生活；除此之外，自己的前途目前仍一片光明，也需要累積各種不同的經驗。正勳和學長商量後，便向來挖角的三星高層提出這個條件：「讓我當部長，我就過去。」

雖然這個條件有點無禮，但對方仍爽快的答應了，回答道：「就這麼辦吧！以後請多多指教。」

正勳在三十多歲時當上三星的部長，他的父母高興得不得了。深知創業風險的父親，看到兒子可以在穩定的職場工作，可說是沒有遺憾了，但另一方面，正勳這麼年輕就當上公司主管，他們也不免感到擔憂。正勳不顧他們的擔憂，全力以赴，在幾年後，他接到了一通電話，是 SK 集團（按：韓國第三大財閥）的高層管理人員打來的。

「我們要創立一個叫 eSKetch 的公司，希望您能加入。」

「我過去的話，要做什麼事？」

「想請您接下代表董事的位置。」

正勳從大學畢業不到 10 年，就當上代表董事，而且還是大企業旗下子公司的社長。過去因為不想讓朋友們看見自己破舊的家而躲起來的羞愧感，現在都成了回憶，偶爾，他是還會感到自責：「為什麼那時候我沒辦法抬頭挺胸呢？」

不過，代表董事這個位置仍無法帶給他滿足感，因為就算努

力工作、提高業績，那個錢還是公司的，正勳仍然在領月薪。

　　雖然 10 年來工作平步青雲，但實際上留下來的卻不多，只是在履歷表上增加了幾行經歷罷了。因此，正勳下定決心，要改變自己的生活方式，他心想：「不要為了別人而活，為了自己活下去吧！」

技術分析、聽明牌、買漲停股，賠掉上百萬

　　正勳突然想起自己在國中寫的日記中，留下的一句話：「自由究竟什麼時候才會降臨？」

　　人的一生需要很多東西，而這些東西當中最重要的就是錢，當然，錢不是人生的全部，但它是自由的基礎。賺錢的方法有很多種，繼承遺產、付出勞動、買彩券、投資房地產、投資股票、賭博、詐騙……。

　　正勳在股票上打了一個勾，但如果要投資股票，身上就必須有一筆錢。

　　他問妻子：「我們手上總共有多少財產？」

　　「怎麼突然問這個？」

　　「我要來投資。」

　　「……要投資什麼？想怎麼投資？」

　　「總之，我們有多少？」

　　「全租的押金 7,000 萬韓元，就這些。」

　　正勳感到一陣失落，辛勤工作了 10 年，卻連自己的房子都沒有，全部的財產竟然才 7,000 萬韓元！他問道：「這段期間你

跟我都有賺錢，我以為我們賺得不少……那些錢都去哪了？」

妻子直盯著正勳，說道：「媽買房子的時候補貼了她一些，還有送小姑去美國留學。」

正勳低下頭。

「我知道了，謝謝你。總之那 7,000 萬韓元給我吧。」

「雖然我不知道你要做什麼投資，但你最好再想想，7,000 萬韓元連開一間小麵店都很吃力。」

妻子說得沒錯，但儘管如此，正勳還是認為有那筆錢就夠了。他們拿回全租房的押金，搬回正勳的父母家，雖然母親很高興能夠與兒子和媳婦同住，不過，心裡難免會擔心他們接下來的生活。

妻子正言厲色的問：「你打算做什麼？」

「什麼都好，邊做事邊賺錢，然後我要用那 7,000 萬韓元投資股票。」

「……。」妻子的面部表情扭曲，就連母親和父親也是，妹妹甚至還從美國打電話回來，說道：「你就當一個平凡的上班族就好了，嫂嫂該有多擔心啊？爸媽也是，要是一不小心又破產，你忘了我們小時候是怎麼過的嗎？」

正勳當然已經預料到這些反對的聲音，但他再也不想過著受金錢壓迫的生活，而且他相信自己的能力，於是他開始買股票書，一邊學習，一邊仔細分析每個企業。

「沒錯，就是這間公司了！」

他從那 7,000 萬韓元中，拿出 300 萬韓元當作實驗來投資，結果以失敗告終。

　　他試了技術分析、情報買賣、買漲停股等各種散戶會用的方法，儘管如此，還是沒有賺到錢。因此，正勳的妻子仍然強烈反對他買股票。

　　「去做個正經的事業或是找工作吧，就算是現在也還不遲，別投資了。」

　　「別擔心。」

　　正勳經過幾次失敗和研究，最後他決定，華倫・巴菲特提出的價值投資，也就是投資被低估的股票，才是正確的道路。

　　他發現一間具有價值的企業，便把 7,000 萬韓元全部都拿去買了 A 公司的股票，在一週內，以每股 4,200 韓元的價格買進了 1.6 萬股。若從專家的角度來看，這絕對是件蠢事，但他從容的等待。

　　在 11 個月後，那支股票漲到 1.84 萬韓元，正勳毫不猶豫的將所有股票賣出，進帳 2.9 億韓元，這時家人們臉上的擔憂才逐漸消失。

　　不過，現在安心還太早，因為股票投資的風險就是，你可能在一個早上就賠掉這筆錢，專家對價值投資的意見也一直相左。儘管如此，正勳還是一路扶搖直上，他正面臨人生中第二個飛黃騰達的時期。

　　確認 H 公司成長價值後，他在 1.2 萬韓元時買進，在 2.4 萬韓元賣出；至於看了資產價值後投資的 N 公司，則是以 7,000 韓元買進，在 1.4 萬韓元時賣出；G 公司買進時是 1,200 韓元，在 3,600 韓元時賣出。

　　就這樣，在不到 5 年的時間內，正勳成為管理數十億韓元投

資額的超級螞蟻。

我運用價值投資，得到3個自由：財富、時間、關係

「你最尊敬的人是誰？」

高中以下的青少年，幾乎都聽過這樣的問題，當然，這個問題也可以拿來問成人，不過很多人會對這個問題嗤之以鼻，因為大部分的成人都認為自己的人生已經被決定了。

正勳被問到這個問題時，則毫不猶豫的回答：「巴菲特。」

「是因為他很有錢嗎？」

「應該說，是因為他示範了何謂價值投資，再來，他設立投資公司、有實踐能力，引導人們邁向致富之道。」

正勳懷有一個夢想，就是設立一間公司，而且這間公司要像巴菲特購入的波克夏・海瑟威（Berkshire Hathaway）一樣成功，但如果要做到這件事，就需要更多的錢。

在陽光溫暖的 5 月，因不停學習而感到疲憊的正勳，決定去漢江散步，他坐在長椅上，看著往來的人們，這時，一幅特殊的風景映入他的眼簾。雖然走路或跑步的人不少，但騎腳踏車的人們最近似乎變得越來越多，腳踏車的款式也更多樣化。

「就是它了！」

正勳快速回到辦公室，在網路上搜尋了 C 腳踏車公司的資訊，股價是 2,730 韓元，正呈現下跌趨勢。正勳等了一段時間，在 2,200 韓元買進，幾個月後再於 5,000 韓元賣出，股價上漲到原來的 2 倍，報酬超過了 5 億韓元。

　　但正勳並未就此停手，他在隔年股價掉到 3,520 韓元的時候買入了 35.3 萬股，由於持股比例超過 5.27%，他向公司申報股份（按：提高市場透明度、保護投資者，迅速公布上市股票大量持有現狀及變動資訊的制度；臺灣據《證券交易法》第 25 條，持有超過 10% 股份之股東，應於每月 5 日前，將上月份持有股數變動情形申報給公司），然後又在第二批買進了 8.9 萬股，所持股票增加到 44.2 萬股，股份上升至 6.6%，投入的總金額高達 15.58 億韓元。

　　正勳也推薦其他人投資 C 腳踏車公司，雖然有一些散戶相信他，並跟著投資，但不相信他的人更多，這是因為，還是有很多人對價值投資抱持懷疑態度，而正勳想向他們證明價值投資的精髓何在。

　　6 個月後，正勳用 1 股 6,000 韓元的價格，將 44.2 萬股全數賣出，光是價差就高達 11 億韓元，不到半年的時間就創下接近 70% 的驚人報酬率。兩次買賣讓正勳賺到 30 億韓元，原先 700 萬韓元的投資額，在 5 年內超過了 80 億韓元。正勳的成功改變了股票界對價值投資的認知，人們的提問始終如一：「投資方法有很多種，為何偏偏執著於價值投資？」

　　而正勳回答：「股票投資是件極為困難的事情，一開始，我晚上都睡不著，為了查看那斯達克、不放過全球任何經濟指標、新聞和各種資訊，忙得不可開交，現在也一樣。

　　「但是，剛開始投資股票時，股票並沒有為我帶來幸福。在我苦惱究竟該怎麼做，才能用平常心好好投資時，我嘗試運用價值投資，而這個方法成功了。你說，怎麼能不相信價值投資的力

量呢？」

正勳的財產持續不斷上升，達到 200 億韓元，超級螞蟻這個稱號自然而然的加在他名字前面，若是在入口網站搜尋「超級螞蟻」，正勳的名字就會在出現在最上面。甚至還有人假冒正勳，用他的名字詐騙。

為了防止他人冒充自己，也為了分享自己的股票致富經驗，正勳試過很多方法。一開始，他將投資指南寫在部落格裡，但成效不佳，於是他轉換到 YouTube，訂閱人數竟馬上衝破百萬。與嚴肅的內容相比，直率表達能帶來的效果確實更高，他不會具體的說「要買這支、要買那支股票」，雖然他知道很多投資者更希望他這麼做，但那不是正確的投資方法。

他很清楚，只聽成功者的話就盲目跟隨的人，無法成功，他說：「很清楚的知道為什麼要投資股票、目的是什麼，還有，必須有一套自己的買賣原則和投資哲學，雖然這套邏輯不可能完美，但是你仍得一邊學習，一邊建立自己的原則。**只要能夠堅守原則、不被動搖，最終，你就能成為不賠錢的幸福投資人。**」

正勳強調，你要努力成為「幸福的投資人」。賺錢是為了證明自己的能力，利用獲得的成果，為自己和心愛的家人帶來幸福。靠股票賺大錢之後，買進口車、邀朋友們吃最高級的酒席，或是買下江南（按：首爾高級地段，類似臺北信義區）一間寬敞又明亮的公寓大樓，這些過程正勳都經歷過了，但最後還是回到了原點，因為高級進口車不是幸福的指標，能夠為他人的幸福奉獻自己，才是真正的幸福。

為了學習最新的經營管理學，正勳在美國史丹佛大學修習高

階主管課程，而這讓他再次領悟到財富的意義。正勳和美國富有的青年交流，認識他們的修養、對財富的概念，以及對社會的貢獻，他也體悟到一個事實：不是只要會讀書就好，從小就應該建立金錢觀。正勳的女兒一到 13 歲，他便自然的引導女兒在兼顧課業的情況下，正確學習經濟和投資的概念。欣慰的是，女兒也跟著爸爸，開始累積正確看待金錢的觀念。

正勳透過股票投資得到了 3 個自由：財務自由、時間自由、關係自由。只要是自己想做的事，只要是出於善意的事，要做什麼都行；在時間上他自由了，不管是早上還是深夜，都不受時間約束；在與他人的交往關係上也自由了，若對方不是自己想見的人，就沒必要勉強自己去見。正勳幸福的享受著脫離一切束縛所帶來的自由。

即使如此，正勳還是沒有忘記過去的日子，身處貧窮之中的人、哀嘆身世的人、因為不知道該怎麼賺錢而徬徨的人、一個早上就賠光本金的人……正勳想幫助這些人，並將此視為使命。

他對大家強調的東西，只有一點：「現在還不遲，成為富人，然後享受 3 個自由吧！」

附錄
我在股市 24 年間的領悟

你覺得投資人最需要培養的特質是什麼？

投資人都應該培養靈活度。一些散戶埋首於數字之中，卻看不見數字以外的東西，現在世界變化得如此快速，如果只看數字，卻不看產業趨勢，就無法展望未來。

企業評價或市場價值，一般由會計師或法人機關頒布，並不是投資人自己去做的，我們只能事先預測，所以，我們才要提前買進未來會受市場肯定的標的，等待它們被評價。不少人什麼都不管，只想買入便宜的股票，但只是便宜卻沒有未來的東西，只會變得更廉價，請不要被衰退的企業騙倒了。

即使有偏見認為股票投資很危險，
還是要投資股票嗎？

當然要投資。為了創造財富，只有 4 個方法，那就是股票、不動產、努力工作和中樂透。後兩者就不用講了，至於不動產，因為已經在漲頭，我不會建議新手投資；相較之下，如果買入被低估、有前景的股票，誰都可以獲利。

有些人把股票投資稱作投機，是因為老一輩的人在價值投資

還沒流行起來之前，在股市賺了很多錢。在傳統儒教社會中，投資基本上就等同賭博，因此肯定有人不喜歡。但是，買股絕對不是那麼簡單的遊戲，你必須付出極大的努力。

用股票投資賺大錢的人，有哪些特點？

他們都懂得遵守原則。超級螞蟻在確實分析企業後，會親自去現場拜訪；他們懂得參觀公司、與發言人聯繫、好好注意下游產業、找出好公司，然後持續等待。拜我為師的散戶中，不少人是身價五十多億韓元的富豪，但這些錢不是一夕之間蹦出來的，他們都非常認真的投資。

當你成功後，生活出現了哪些轉變？

現在，我可以隨心所欲的使用時間，無論是誰，只要我不想見面，就可以不見，想獨處的話就獨處。我個人認為，晚上 6 點到 12 點這段時間如果可以自己一個人，真的很幸福，可以看電視或影集、好好放鬆，然後再看股市相關資料，晚點還能小酌、泡桑拿、運動……。

到了早上，再回到辦公室做自己想做的事情，這難道不就是幸福嗎？我可以每天做著自己的例行公事，但在這其中盡情享受自由。

另外，我的社交圈也跟著改變，我變得比較常和有錢人見面。在美國史丹佛大學認識的朋友，都是有錢人與成功人士，我

會觀察他們的習慣、看人的方式和氣質，這些也是很好的經驗。記住，只要創造了財富，那麼經濟自由、時間自由和關係自由，就會降臨到自己身上。

讓你財務自由的關鍵心態是什麼？

剛開始投資的時候，我是用迫切的心、熱情和汗水堅持下來的，等到累積一定程度的財富之後，我最關注的事情變成：「我希望自己在別人眼中，是什麼樣的人？」也就是說，我開始思考：「我能為這個社會、國家及世界做什麼事？」

我的生命中發生了很多值得感恩的事情，所以我想回報這個世界，我之所以開始經營 YouTube，也是因為想幫助他人，我擁有很多知識，卻沒有地方可以分享。

我從 7 年前開始寫部落格，部落格好友有 1.2 萬名，每天點閱率大概在 700 次到 1,000 次左右，我寫得很認真，但不到爆紅的程度。

2020 年的夏天我才開始經營 YouTube 頻道，沒想到一把內容從文字化為影像，馬上就掀起暴風般的反應。雖然我也曾哀嘆「為什麼這麼晚才開始經營 YouTube」，但我認為現在也不遲。我經營 YouTube 的目的很明確，是為了將我知道的知識及成功祕訣，以簡單明瞭的方式呈現給大家。

我真心希望你也能像我一樣幸福的生活，而且其實我教的投資祕訣，每個人都做得到；只是，我們不能忘記，不可以完全依賴他人的成功故事，因為我們不知道那個人的成功，是否仍適用

於現在的自己。也就是說，成功者的經驗可以拿來參考及模仿，但一定要親自打造專屬於自己的成功法則！

為什麼大多數人覺得自己無法成為有錢人？

因為他們缺乏致富心態，也就是抱持著「我做不到」的想法，悲觀、懶惰、缺乏熱情、容易做出錯誤判斷。這些人很常在我的頻道下面留言，說出像是「因為沒錢所以無法投資」這樣的話，但是，大多數散戶剛開始投資時，本金都很低。

還有，只會出伸手牌的人也很難成功。我遇到很多這種人，明明已經告訴他「可以這麼做」，他卻仍不斷提問：「那麼應該怎麼做呢？」這些人打算靠別人到什麼時候？還有，世界上會有願意無條件幫助他們的人嗎？

把提問的時間，拿來付諸實行吧！許多人在判斷和決定時會花很長的時間，因為他們害怕失敗，所以總是不斷猶豫。你可以先用十幾萬或二十幾萬韓元投資看看，累積經驗、找到適合自己的方法之後，再慢慢增加金額。

你認為什麼是貧窮？

我認為，貧窮是缺乏努力和缺乏用心。我們必須鑽研知識，並努力提高自身價值，即使貧窮，只要努力就能致富，不過，有很多人把重心放錯地方，只追求不切實際的夢想，卻不增長自己的實力，所以才會一直生活於貧窮之中。

　　另外，看到有錢人就汙辱他們，將富人視為騙錢的人，這種有缺陷的想法，也是窮人的特點。

　　明明沒詳細觀察過成功人士的生活，就有人武斷的說：「那個人根本沒做什麼，就輕鬆賺大錢耶？」事實並非如此，尤其是成功的年輕人，他們都既努力又善良。

富人和窮人最大的差別是？

　　我認為富人都非常勤奮。這個富人，不是指含著金湯匙出生的人，只要看看那些白手起家的人，就能發現他們很辛勤，而且做事按部就班；他們懂得學習知識和情報，也不吝於分享，心態非常開放。

　　這種富人從凌晨就開始運動，很認真打高爾夫球，即使是喝酒也喝得很投入，但是在百忙之中也會撥空閱讀。我認為這樣的人，就是真正的富人，而不是很多人心裡想的那種富二代，那些靠繼承家產致富的人，只是剛好遇到好父母罷了。

　　富人和窮人最大的差別，在於心態，也就是「我能做到」和「我做不到」的差異。一個正確的想法就能促成行動，而行動就是讓你致富的方式。懂得付諸實行的人並不多，但有錢人的成功正源自於此。

　　你擁有熱情嗎？你準備好了嗎？投資高手不僅熱愛股市，而且他們都有練好基礎功。如果你只知道出伸手牌，不自己學習，只想輕鬆獲取情報，那就絕對無法內化這些實力。

　　所以，如果你也想成為超級螞蟻，首先，可以先設定目標值、

假定一個情境，然後跟著企業的乘數做調整，不斷的追蹤下去，這才是投資。

這個過程絕對不簡單，我很常一整天腦袋都只想著交易的事情，如果出現突如其來的變數，我會罵市場、罵中國，沒來由的罵美國總統、日本總理。不過，到頭來，買賣股票的人還是我自己，所以投資人能改變的最終還是自己。

總的來說，決定命運的不是生辰八字，而是積極努力。批評政府、對市場很悲觀、無法做出正確判斷，這樣的散戶當然無法成功。你必須正面思考、做出合理判斷、付出相應的努力，才能產出確實的效果。

投資雖然不容易，但很值得去做；
人生雖然艱辛，但很值得過下去；
努力雖然不簡單，但很值得一試；
獲利雖然困難，但很值得爭取；
財務自由雖然辛苦，但結果很可觀。
請不要感到厭倦，不要虛度光陰，
只有現在努力，未來才能悠閒的生活。
為了未來，
現在就挑戰吧！

股市蟻神金政煥
部落格

股市蟻神金政煥
YouTube

不要自己畫地自限，
我們必須勇於嘗試，
機會的大門隨時都敞開著，
喚醒你的金融才智吧！

Biz 393

股市蟻神的機智投資生活（第一次買股票就順手）

我這樣選股，從小白滾出 2 億身家。給想進場、卻不知怎麼開始的超新手入門。

作　　者／金政煥、金利晏
譯　　者／林倫仔
責任編輯／李芊芊、黃凱琪
校對編輯／張慈婷
美術編輯／林彥君
副總編輯／顏惠君
總 編 輯／吳依瑋
發 行 人／徐仲秋
會計助理／李秀娟
會　　計／許鳳雪
版權經理／郝麗珍
行銷企劃／徐千晴
業務助理／李秀蕙
業務專員／馬絮盈、留婉茹
業務經理／林裕安
總 經 理／陳絜吾

國家圖書館出版品預行編目（CIP）資料

股市蟻神的機智投資生活（第一次買股票就順手）：我這樣選股，從小白滾出 2 億身家。給想進場、卻不知怎麼開始的超新手入門。／金政煥，金利晏著；林倫仔譯. -- 初版. -- 臺北市：大是文化有限公司，2022.05

240 面；17×23公分. --（Biz；393）

譯自：나의 첫 투자 수업 1 마인드편

ISBN 978-626-7041-95-6（平裝）

1. CST：股票投資

563.53　　　　　　　　　　　　　　　111000038

出 版 者／大是文化有限公司
　　　　　臺北市 100 衡陽路 7 號 8 樓
　　　　　編輯部電話：（02）23757911
　　　　　購書相關諮詢請洽：（02）23757911 分機 122
　　　　　24 小時讀者服務傳真：（02）23756999
　　　　　讀者服務E-mail：haom@ms28.hinet.net
郵政劃撥帳號／19983366　戶名／大是文化有限公司

法律顧問／永然聯合法律事務所
香港發行／豐達出版發行有限公司 Rich Publishing & Distribution Ltd
　　　　　地址：香港柴灣永泰道 70 號柴灣工業城第 2 期 1805 室
　　　　　Unit 1805, Ph.2, Chai Wan Ind City, 70 Wing Tai Rd, Chai Wan, Hong Kong
　　　　　電話：21726513　傳真：21724355
　　　　　E-mail：cary@subseasy.com.hk

封面設計／林雯瑛
內頁排版／江慧雯
印　　刷／鴻霖印刷傳媒股份有限公司

出版日期／2022 年 5 月初版
定　　價／新臺幣 390 元（缺頁或裝訂錯誤的書，請寄回更換）
I S B N／978-626-7041-95-6
電子書ISBN／9786267123324（PDF）
　　　　　　9786267123331（EPUB）